O VESTIDO DE NOIVA

O VESTIDO DE NOIVA

Inspiração fashion para noivas e estilistas

Harriet Worsley

PUBLIFOLHA

LAURENCE KING

Título original: *The White Dress*

Para minha afilhada Poppy Thomas

A edição original foi publicada em
2009 pela Laurence King Publishing Ltd.
361–373 City Road, EC1V 1LR, Londres, Reino Unido
Tel: + 44 20 7841 6900 Fax: + 44 20 7841 6910
www.laurenceking.com

Coordenação do projeto: Publifolha
Editoras-assistentes: Paula Marconi de Lima
e Nina Bandeira
Coordenadora de produção gráfica: Soraia Pauli Scarpa
Produtora gráfica: Mariana Metidieri

Produção editorial: Estúdio Sabiá/Carochinha
Edição: Diego Rodrigues
Tradução: Dafne Melo
Preparação: Silvana Salerno
Revisão técnica: José Luis de Andrade, designer
de moda e mestre em Moda, Arte e Cultura
Revisão: Nina Rizzo, Hebe Lucas
Diagramação: Carochinha Editorial

Projeto gráfico original: & SMITH

Dados Internacionais de Catalogação na Publicação (CIP)
(Câmara Brasileira do Livro, SP, Brasil)

Worsley, Harriet
O vestido de noiva / Harriet Worsley ; [tradução Dafne Melo]. – São Paulo : Publifolha, 2010.

Título original: The white dress
Bibliografia
ISBN 978-85-7914-119-5

1. Design de moda 2. Vestido de noiva – Design
3. Vestido de noiva – Moda I. Título.

09-09265 CDD-391

Índices para catálogo sistemático:
1. Vestidos de noiva : Moda 391

A grafia deste livro segue as regras do
Novo Acordo Ortográfico da Língua Portuguesa.

PUBLIFOLHA
Divisão de Publicações do Grupo Folha
Al. Barão de Limeira, 401, 6º andar
CEP 01202-900, São Paulo, SP
Tel.: (11) 3224-2186/2187/2197
www.publifolha.com.br

Impresso na C&C Offset, China.

Agradecimentos
Um agradecimento enorme a Jamie Lindsay por sua ajuda, pelas dicas sábias e o olhar apurado. Agradeço também a Rachel Carrington, da revista *Hello!*, a James Lever e a Harriet Carr.

SUMÁRIO

INTRODUÇÃO

Esta é a história do vestido de noiva, de 1900 até os dias de hoje, contada em dez capítulos. Você encontrará aqui diferentes possibilidades do que uma noiva pode usar no seu grande dia. Em "Cores", veremos por que nem todas as noivas escolhem o branco na hora de dizer sim. "O ritual" aborda as tradições e suas influências nos dias de hoje. "A deusa" celebra o glamouroso corte enviesado dos vestidos hollywoodianos. Ao examinar os vestidos de noiva ocidentais, o livro acaba por contar uma história da moda no século 20 e de como mulheres comuns entram em contato com a alta-costura. Afinal, para a maioria delas, o vestido de noiva é o melhor traje que vestirão na vida.

A história dos vestidos e rituais de casamento contada aqui irá fascinar tanto noivas como estilistas, dando maior ênfase à moda contemporânea. Não há fotos de noivas que fizeram más escolhas – este livro se dedica apenas a mostrar noivas bonitas, a fim de fornecer inspirações.

Sempre que possível, foram escolhidas fotos em contexto real. As imagens extraídas de filmes ajudam a dar uma perspectiva histórica, mostrando a moda de cada década. Casamentos de celebridades – atrizes, cantoras, socialites, modelos – também marcam presença, como o de Bianca Jagger em Saint-Tropez, no qual ela usou um tailleur branco de saia longa, ou o de Grace Kelly, princesa de Mônaco, com seu sóbrio vestido de renda.

Mas não há apenas vestidos brancos neste livro; aqui também está registrada a libertação em relação a eles, o que em alguns aspectos simboliza a própria libertação feminina. As mulheres têm uma relação de amor e ódio com o vestido de noiva – aquela peça de

À direita

Jessica Simpson casa-se com Nick Lachey em Austin, Texas, em 2002. Cristais e pérolas cobrem o elegante vestido assinado por Vera Wang, dando um toque especial ao tomara que caia.

roupa normalmente tão cara, tão elaborada e parecida com um merengue, pelo qual tanto se batalhou e, em realidade, tanto se temeu. Não importa quantas lindas histórias de ficção se contem sobre as mulheres. Na Grã-Bretanha, por exemplo, elas começaram a votar somente em 1918, e, ainda assim, somente as com mais de 30 anos. Muitas tradições foram criadas bem antes de as mulheres conquistarem seus direitos. Por isso, muitas vezes a noiva ainda hoje segue o estereótipo de virginal e submissa. Há ainda outras contradições. A noiva cristã não precisa mais prometer obediência ao marido, mas geralmente quer usar um véu que denota pureza virginal. A noiva ainda é levada ao altar pelo pai, para ser entregue aos cuidados do marido, mesmo que seja uma executiva de 35 anos. Muitas esperam ser pedidas em casamento e receber um belo anel de noivado, mesmo que ganhem mais que o futuro marido. O ritual e a tradição de noivado e de casamento estão sempre mudando, principalmente hoje, quando as mulheres já conquistaram certa igualdade. Quem sabe o que pode acontecer no futuro?

O Vestido de Noiva traz todas essas contradições que o traje representa, assim como as mudanças de expectativa em relação a ele. Hoje, escolher o vestido é mais um fator de consumo que um ritual de passagem. É interessante notar que, no começo do século 20, vestidos de noiva e grandes festas eram privilégio dos ricos; aqueles que não podiam arcar com as despesas usavam seu melhor vestido, não importava a cor. Em 1950, no Reino Unido, o custo médio de uma festa de casamento era o equivalente a 600 libras. Hoje, custa algo em torno de 18 mil libras – trinta vezes mais –, quantia que poderia ser usada na entrada de um apartamento, mas que muitos noivos preferem gastar em um vestido, na cerimônia, na festa e na lua de mel. Não à toa a indústria do casamento está indo de vento em popa. Como o índice de divórcios do primeiro casamento chegou a 40% nos Estados Unidos, alguns dizem que o aumento dos custos da cerimônia pode funcionar como uma garantia de não separação. As coisas estariam saindo do controle?

Este livro também é a história de um ritual em transformação e toma proveito da sua crescente diversidade. As mulheres nem sempre ficam o tempo todo com o vestido usado na igreja. Muitas vezes, querem usar mais de um traje, em cerimônias que podem durar o dia inteiro ou mesmo um final de semana. Examinaremos a relação do tradicional vestido de noiva com outros modelos, mais informais, e ainda com vestidos de gala. À medida que muitas cerimônias se desvincularam da religião, os trajes também foram

À esquerda

Grace Kelly, ex-estrela de Hollywood e princesa de Mônaco, imortalizada como a noiva perfeita em seu vestido eternamente elegante, feito com renda belga de 125 anos e tafetá de seda. Seu cabelo foi decorado com pérolas e flores de laranjeira.

mudando. A noiva de hoje pode optar por um vestido de festa azul em vez do tradicional branco. O livro traz ainda imagens de casamentos entre pessoas do mesmo sexo: o que duas noivas podem usar no dia da cerimônia? O costume de outras culturas também aparece, em vestidos usados em cerimônias ao redor do mundo.

Com boas informações e uma cuidadosa seleção de fotos, *O Vestido de Noiva* é uma obra fundamental para noivas e estilistas.

UMA PRINCESA DE CONTO DE FADAS

"Sim", diz ela, com estrelas nos olhos e um brilhante no dedo. O conto de fadas vai começar. O casamento é o dia com que muitas mulheres – e suas mães – sonham durante décadas. Mas, quando chega o momento de organizá-lo, o principal – que o amor verdadeiro dure para sempre – fica de lado, pois os convites, as roupas, as flores e a música devem ser escolhidos e pagos. As engrenagens da indústria do casamento começam a se mexer para tornar a fantasia realidade, com direito a arroz em forma de coração para ser jogado nos noivos e salões e bufês com decoração deslumbrante. Mas esse mundo mágico pode ser intimidador e é caro. Na festa, a noiva tem que se sentir a mulher mais bonita, e aí começa a pressão.

O que faz com que mulheres equilibradas e pouco exigentes fiquem à beira de um ataque de nervos é um mistério. Pressão das amigas? Status? A indústria do casamento? As mães? A revista *Brides*, em 2007, afirmou que aqueles que planejam uma festa mediana deveriam ter um orçamento de cerca de 11 mil reais só para as alianças, o vestido de noiva, as roupas para a lua de mel e os acessórios. Essa demonstração pública de afeto faz mulheres parecerem meninas, vestindo-se de bailarinas ou fadas, e até as mais molecas se perdem no meio de pérolas, rendas e tules. Muito provavelmente, o vestido de noiva será a roupa mais cara que uma mulher irá vestir na vida – e, acredita-se, será usado somente uma vez. Seu noivo nunca a viu vestir algo parecido e provavelmente não verá de novo. É estranho: tudo parece mais teatro do que vida real. A indústria do casamento pega a mulher nesse período vulnerável e, nas entrelinhas, passa a seguinte mensagem: sem o vestido perfeito, você poderá não ter o casamento perfeito. "Com uma calça jeans e um carro, compramos tudo o que cerca esses objetos", escreveu Alan Tomlinson em *Consumption, Identity and Style* ["Consumo, identidade e estilo"]. As noivas não compram apenas um vestido, compram um sonho.

Mandar fazer véu, grinalda e um vestido de cauda para serem usados apenas uma vez era um hábito da aristocracia. Quando a rainha Vitória casou com seu primo, o príncipe Albert, em 1840, ela endossou o vestido branco como símbolo de status para noivas abastadas. A rainha era vista como uma romântica moderna que se casou por amor, em um vestido adornado por rendas simples para uma integrante da família real. Na virada do século 20, as garotas se casavam usando seu melhor vestido; as mais ricas vestiam um

À direita

Aí vem a noiva. Fotógrafos enlouquecem quando Jane McNeil, ex-modelo da Hartnell, chega à igreja, em Edimburgo, em 1953, para seu casamento com o conde de Dalkeith.

À esquerda

O designer britânico John Galliano criou este vestido espetacular para a coleção primavera/verão 2007 de alta-costura da Christian Dior.

modelo parisiense feito por Charles Frederick Worth, o fundador da alta-costura. Vestidos assinados por ele custavam, naquele tempo, mais do que um ano de salário de um trabalhador. Com o advento da fotografia, os grandes casamentos se tornaram públicos e, a partir da década de 1930, as mulheres já sonhavam com o lindo vestido branco.

"Os costureiros são os últimos donos da varinha de condão da madrinha de Cinderela", disse Christian Dior. Mas, hoje, qualquer pessoa pode comprar véus e vestidos pela internet, e até as noivas mais despojadas podem ficar parecidas com uma princesa. O verdadeiro conto de fadas tornou-se um misto de realeza e cultura pop – a exemplo de Victoria e David Beckham com seus tronos, em 1999, a princesa Diana com sua cauda de 7 metros e Mariah Carey usando um vestido Vera Wang de seda marfim e tiara de brilhantes. Eles têm dinheiro, têm status e podem dar ao público e às revistas de celebridades o que lhes é exigido: brilho, multidões e poder. Naturalmente, não há lugar para vulgaridade. Grace Kelly, estrela de cinema e princesa de Mônaco, conseguiu sobriedade e beleza em seu casamento, em 1956, e a estrela de rock Gwen Stefani acertou em cheio com um John Galliano. Um dos modelos preferidos no Ocidente é o clássico vestido de corpete justo e saia cheia e rodada. Rendas, bordados, pérolas e cristais são normalmente usados como adornos. O conto de fadas fica completo com o véu, a grinalda, uma cauda longa, o cortejo de madrinhas e um buquê cascata. Os vestidos modernos normalmente não têm alça, já que deixar braços e colo à mostra não é mais um problema; assim, os modelos se tornaram mais enxutos, sem muitos babados, capas e sobressaias. Porém, o estilo do vestido de casamento ainda é um elemento de demonstração de riqueza material. Rendas e bordados custam caro. Saias amplas, caudas e capas significam que só o tecido custou uma fortuna. Tudo isso ajuda a manter os negócios das confecções e dos estilistas de vento em popa, tendo em vista que o dia do casamento muitas vezes é o único momento em que uma mulher usará um vestido feito sobre medida.

A influência das eras vitoriana e eduardiana nos vestidos de noiva foi e voltou ao longo do século 20. O filme *...E o Vento Levou*, de 1939, com seu figurino da década de 1860, reacendeu a paixão por vestidos de estilo vitoriano, com armação por baixo da saia e mangas bufantes. Com a Segunda Guerra Mundial, as europeias adotaram rapidamente um visual menos volumoso. As americanas também se sentiram com o dever de adotar figurinos mais simples. Foi apenas em 1947, com uma coleção nova de Christian Dior, que voltaram à moda os vestidos de festa e de casamento com grande quantidade de tecido, corpetes que demarcavam a cintura e deixavam os troncos pequenos e saias de bailarina com armação por baixo. Nancy Mitford escreveu em suas *Cartas*: "Você já ouviu falar do new look? Encha os quadris, aperte a cintura e estique a saia até o tornozelo. Você se sentirá romântica como Madame Greffulhe, e as pessoas gritarão coisas nada belas, pois vestidos assim geram sentimento de classe de um modo que nem os casacos de pele fazem". As noivas usavam ainda véus longos, chapéus, caudas, rendas, bordados, canutilhos, pérolas e lantejoulas. Enquanto as socialites adotavam as grifes parisienses, como Christian Dior e Cristóbal Balenciaga, as confecções para noivas davam conta das simples mortais. A década de 1980 foi marcada pelo excesso, depois de duas décadas de versões mais sóbrias e sem volume. Elas queriam seda, tafetá, corpetes com armação, mangas bufantes e saias com babados. Usavam decotes amplos, com gargantilha de pérolas, ou optavam por golas altas, em estilo eduardiano.

Casar-se pode ser a escolha mais convencional de uma mulher, uma vez que é perfeitamente possível morar com um homem, ter filhos e não assinar papéis ou fazer festa. Muitas noivas escolhem modelos nada tradicionais, bem diferentes dos corpetes apertados e das saias bufantes da época vitoriana. As mulheres daquele tempo não votavam, não trabalhavam e eram vistas como propriedade do marido. O vestido destacava os quadris e seios, sugerindo fertilidade, amor e lar – não independência. Depois de saírem de casa para trabalhar durante a Segunda Guerra, esperava-se que as mulheres voltassem para retomar seu papel de mãe e esposa, e o new look de Christian Dior reforçava isso. As mulheres se sentiam românticas; as estatísticas indicavam o aumento do número de casamentos. Na década de 1980, quando a moda era usar terninho no ambiente de trabalho, voltaram a ser usados vestidos nostálgicos nas ocasiões sociais, em um indício de que, fora da vida profissional, ainda predominavam os valores tradicionais. Hoje, coração e lar não são os únicos valores da mulher ocidental, inserida no mercado de trabalho do século 21; ainda assim, muitas mulheres optam por casar-se com vestidos requintados. Pressão familiar, apelo da indústria do casamento ou romantismo podem fazer a mulher que não tira seus jeans tornar-se, do dia para a noite – como a Cinderela –, uma princesa. Quando a modelo inglesa Katie Price se casou com Peter André, usou uma carruagem puxada por cavalos brancos enfeitados com plumas rosa. Mas a pergunta que fica é: o que aconteceu depois que o conto de fadas da cerimônia acabou? Mariah Carey comentou certa vez no site da MTV: "O vestido foi usado em um momento feliz. O problema foi todo o resto do relacionamento".

À direita

Lady Diana Spencer se casou com o príncipe Charles em 1981, usando um vestido de conto de fadas criado por Elizabeth e David Emanuel. Com um corpete de tafetá marfim, mangas bufantes, renda chantilly e detalhes em lantejoula, o vestido foi instantaneamente copiado por noivas que queriam viver um sonho como esse.

À esquerda

Esther Williams, campeã de natação e estrela de cinema, posa para foto com as pernas à mostra, em 1952. Sua beleza tipicamente americana e o status de atleta ajudaram a impulsionar a carreira de atriz.

Acima

A princesa Alexandra, filha de Cristiano IX da Dinamarca e consorte do príncipe Eduardo, posteriormente rei Eduardo VII, é retratada usando um vestido de noiva – mas não o mesmo do casamento – nesta pintura de 1863, de Leuchert. O véu ajuda a dar leveza à roupa; em volta dos ombros, assume a aparência de um xale ou estola.

À esquerda

A editora de moda Diana Vreeland incluiu o vestido de noiva de Catarina, a Grande (usado com um manto bordado com prata) em exposição em Nova York, em 1976. Catarina derrubou o próprio marido, Pedro III, para se tornar imperatriz da Rússia.

Página 20

Chloe Delevingne une-se a Louis Buckworth, em 2007, em Londres. O vestido tomara que caia feito por Anouska Hempel é elegante e simples, exemplificando a opção atual por modelos mais sóbrios.

Acima

Aos 28 anos, Thalia casa-se com Tommy Mottola, 52, em 2000. Mitzy foi o estilista do vestido da estrela latina, que tinha uma cauda de 17 metros. O véu curto destaca o decote na altura dos ombros.

Página 21

A atriz Audrey Hepburn posa para a câmera em 1954. As luvas brancas e longas e os requintados vestidos de festa eram o modelo padrão das noivas na década de 1950.

Acima

A dupla de designers andaluzes Victorio & Lucchino usou sabiamente flores em uma das mangas deste vestido de estilo romântico, em 2006. Na era vitoriana, eram comuns os vestidos com grinaldas feitas com flor de laranjeira – símbolo de fertilidade e amor eterno.

À direita

A atriz Joan Crawford usa um vestido de estilo romântico do figurinista Gilbert Adrian, da MGM, para o filme *Redimida*, de 1932. O modelo foi rapidamente imitado e trouxe à moda as mangas bufantes. No verão, nessa mesma década, algumas noivas usavam túnicas feitas de chiffon ou organza, no lugar dos tradicionais vestidos longos e colantes.

À esquerda

O príncipe Rainier de Mônaco conduz sua noiva, a atriz Grace Kelly, em 1956, na ocasião em que ela se tornou princesa. O vestido, feito pela figurinista-chefe dos estúdios da MGM, Helen Rose, trazia um corpete de renda fina feita com agulha, uma saia de seda em forma de sino e detalhes em pérolas.

Acima

Em 1984, Madonna, a princesa do pop, se consagra mundialmente com "Like a Virgin" e causa sensação ao sair de dentro de um bolo gigante usando um irreverente vestido de noiva, durante o MTV Music Awards.

Acima

O lendário costureiro Christian Dior, inventor do new look e do "desenho em A" (vestido com o formato dessa letra), posa com seis de suas modelos, quase todas usando vestidos tomara que caia, após um desfile no Savoy Hotel, em Londres, em 1950.

À direita

A princesa Alexandra, filha de Cristiano IX da Dinamarca e consorte do príncipe Eduardo, mais tarde rei Eduardo VII, é retratada com o vestido que usou na cerimônia do casamento, em março de 1863.

À esquerda

O lendário fotógrafo de celebridades Cecil Beaton registrou a princesa Margareth nesta bela imagem. Norman Hartnell desenhou muitos dos vestidos que a princesa usava em solenidades e eventos sociais.

Acima

A foto de casamento de 1951 registra a rainha Soraya e o xá Mohammed Reza Pahlevi, conhecido como o último xá do Irã. A noiva usa um modelo de lamê prateado e cravejado de brilhantes, desenhado por Christian Dior. O casamento ocorreu no Palácio do Golestan, em Teerã.

Acima

Ronnie Wood, guitarrista dos Rolling Stones, celebra seu casamento com Jo Howard ao lado de Charlie Watts e Keith Richards, seus companheiros de banda, em 1985.

À direita

A *bombshell* Jayne Mansfield e o ator e fisiculturista Mickey Hargitay casam-se em um rancho em Palos Verdes, Califórnia, em 1958. A atriz morreu tragicamente em um acidente de carro, com apenas 34 anos.

Acima

Modelo usa vestido assinado por Hubert de Givenchy, em Paris, em 1953. Os vestidos com cortes mais discretos da década de 1950 podem ser transformados em modestos vestidos de noiva, bastando acrescentar um casaquinho curto ou uma simples blusa de renda.

À direita

Modelo exibe vestido de noiva da coleção primavera/verão 2006 de Elie Saab em passarela parisiense. A renda sofisticada dá elegância e opulência a esse desenho clássico de traje de festa.

À esquerda

Então com 24 anos, Jacqueline Bouvier dança com o noivo, John F. Kennedy, na festa de casamento em Rhode Island, em 1953. O vestido era feito com 50 metros de tafetá de seda marfim e coberto com pequenas flores de cera. A estilista Ann Lowe demorou dois meses para concluir a peça.

Acima

A rainha Vitória casa-se na capela real do Palácio de Saint James, em 1840. Ela optou pela tradicional cor branca e foi elogiada pelo modelo simples e romântico, com flores de laranjeira naturais compondo uma tiara e um tecido de renda em vez de ornamentações com pedras preciosas.

À esquerda

A modelo Shalom Harlow é a noiva-gueixa do estilista britânico John Galliano, no desfile de alta-costura da coleção primavera/verão 2007 da Christian Dior.

Acima

A pioneira fotógrafa britânica Lady Clementina Hawarden usa um vestido típico do século 18, com inspiração camponesa, nesta fotografia tirada na década de 1860.

Acima

Isabel Goldsmith, filha do empreendedor James Goldsmith, casa-se com o barão Arnaud de Rosnay, em 1973. As flores em seu cabelo, arrumado em um coque, complementam os detalhes da parte de cima do vestido, com mangas bufantes e volumosas.

Página 40

A estrela de cinema Ginger Rogers opta pelo estilo ultrarromântico em seu casamento, em 1938. O cabelo ganha um penteado moderno e funciona como uma moldura para o rosto.

À direita

A chefe da casa real inglesa, a princesa Vitória, e outra dama de honra posam para retrato em ocasião do casamento da futura rainha Maria com o rei Jorge V, em 1893. Pequenas rosas complementam o vestido de cetim com mangas de chiffon.

Página 41

Simonetta Stefanelli faz o papel de Apolonia Vitelli Corleone em *O Poderoso Chefão*, clássico de Francis Ford Coppola de 1972. Logo após a cena do casamento, Apolonia morre dentro de um carro-bomba – armadilha feita, na verdade, para seu marido.

À esquerda

A diva Mariah Carey deixa a igreja em um vestido de conto de fadas feito por Vera Wang para seu casamento com Tommy Mottola, em 1993. O vestido foi abertamente inspirado no modelo usado pela princesa Diana em seu casamento com o príncipe Charles.

À direita

A atriz Sarah Jessica Parker faz o papel da noiva em *Sex and the City: O Filme*. Aqui, ela é fotografada no *set* de filmagem, em 2007, com modelo assinado por Vivienne Westwood.

À esquerda

Joan Rivers posa ao lado dos recém-casados Melissa Rivers e John Endicott no New York City Trump Plaza, em 1998. O vestido de cetim duchesse assinado por Vera Wang é enfeitado com bordado e cristais brilhantes.

Acima

Angie Everhart sai da igreja em Beverly Hills após casar-se com Ashley Hamilton, em 1996. A saia dupla com a bainha da parte de cima cortada em formas arredondadas é um detalhe que enriquece o vestido liso.

Acima

Elton John se casa com Renate Blauel em Sydney, em 1984. Com suas mangas bufantes, gola alta no estilo eduardiano e brilhantes cravejados, o vestido reflete a tendência ao volume e à opulência da década de 1980.

À direita

Este vestido de gala feito em camadas foi desenhado por Julian Rose e modelado por Barbara Goalen em 1950, mas poderia facilmente passar por um modelo de noiva do século 21. As noivas da década de 1950 costumavam usar um corpete de renda cobrindo os ombros, mas hoje é comum deixá-los à mostra. Na parte de cima, as camadas aumentam o busto, o que contribui para enfatizar a cintura fina, demarcada por uma faixa.

SEM BARULHO, SEM BABADOS

Sem barulho, sem babados – apenas simplicidade e elegância. Algumas das noivas mais bem vestidas do século 20 rejeitaram vestidos de Cinderela em nome de opções minimalistas. A ambiciosa e revolucionária Coco Chanel inaugurou, na próspera década de 1920, um look mais despojado – e inspirado em roupas masculinas – para as mulheres, com cortes de cabelo curtos e vestidos que ignoravam os quadris. Esse visual foi apelidado de "Garçonne" ("feminino" da palavra *garçon*, rapaz, em francês) – inspirado no livro *La Garçonne*, censurado na época, que contava a história de uma jovem estudante sexualmente liberada, com cabelos curtos e trajes mais masculinos. Chanel introduziu, corajosamente, vestidos de noiva simples com cauda; em relação à cor, mostrou que o branco não era a única opção. Assim, as mulheres passaram a se dirigir para o altar em vestidos sem manga em tons marfim, com cintura mais baixa, saia acima das canelas e grinalda de cetim, cristais, canutilhos e pérolas. A *coutourier* Lucile escreveu em seu livro *Discretions and Indiscretions* ["Discrição e indiscrição"]: "Esse estilo trouxe a ideia da 'mulher moleca'. Aqui estava a solução perfeita para o problema. Figuras miúdas cobertas com 3 metros de tecido, saias logo abaixo dos joelhos, chapéus pequenos enfeitados com uma fita. Nenhuma mulher, pelo menos entre as ocidentais, poderia gastar menos para se vestir! E o melhor é que todas ficavam satisfeitas". Mulheres de todas as classes sociais poderiam ter roupas desse estilo. Coco disse certa vez: "As mulheres deveriam se vestir de modo tão simples como o de suas empregadas". No campo dos acessórios, outra inovação de Chanel foi o uso de bijuterias. Já não era sem tempo: leves, os vestidos de noiva tinham pouco a ver com os modelos vitorianos de 30 anos antes. Eles refletiam a nova mulher, agora mais emancipada diante da necessidade, imposta pela Primeira Guerra, de sair de casa e trabalhar em fábricas ou no campo. Portanto, precisavam de roupas mais práticas. Em 1918, as mulheres com mais de 30 anos tinham finalmente conquistado o direito de voto no Reino Unido.

A simplicidade voltou durante a Segunda Guerra. As noivas da década de 1940 adotaram um estilo mais sóbrio, pois ostentar um modelo luxuoso era visto como antipatriótico. As noivas britânicas também não tinham muita opção. Entretanto, as rendas e os enchimentos não foram restringidos e se tornaram úteis na confecção dos vestidos; alguns usavam até mesmo

À direita

A atriz Sharon Tate casa-se com o diretor de cinema Roman Polanski, em 1968. A estilista Mary Quant lançou os minivestidos colegiais em sua loja na Kings Road, em Londres, nos anos 1960 – e eles se transformariam em um símbolo daquela década. Pequenas flores e fitas nos cabelos eram a moda, em lugar do véu.

À esquerda

Bianca Jagger casa-se com o astro de rock Mick Jagger, em 1971, em Saint-Tropez. Grávida, ela escolheu um elegante tailleur assinado por Yves Saint Laurent, que colocou o traje na moda em 1966. O "Le Smoking", como ficou conhecido, era uma versão feminina do terno.

seda de paraquedas, quando achavam o tecido. Tudo era feito com muita pressa, para aproveitar o momento em que o marido passava pelo país. Sem dúvida, a opção mais elegante para as mulheres era um traje "utilitário" com saia e jaquetas justas, feito pelo Comitê Britânico de Comércio, a fim de manter as restrições a tecidos por conta da guerra. Tanto Norman Hartnell como Hardu Amies desenharam suas versões. No fim da guerra, cada adulto britânico tinha direito a 36 cupons de roupas por ano. O traje "utilitário" podia ser comprado por 18 cupons. Como a terra era exclusivamente usada para cultivar alimentos, as flores escassearam e os buquês também, embora fosse possível obter um. Nos cabelos e no vestido, eram usadas flores de tecido.

Quando o ex-engenheiro civil André Courrèges lançou, em 1964, sua coleção minimalista chamada Era Espacial, em tons brancos e prateados, definiu a tendência para a década. Seus vestidos simples e de corte geométrico, feitos com tecidos pesados, mas com caimento largo, não grudavam ao corpo e traziam algo totalmente novo. No mesmo ano, a revista *Vogue* avisou: "Garotas antenadas vão optar por um look com cortes simples". Mary Quant se inspirou no visual despojado dos mods e criou vestidos retos e curtos, parecidos com os usados pelas meninas na escola; o visual voluptuoso e maternal da década de 1950 foi então aposentado. Havia vestidos de noiva feitos de papel, outros com minissaias e chapéus pequenos sem véu. Ornamentações estavam fora de moda. Os vestidos de noiva do início da década de 1960 eram quase como batas, com o mínimo de costura, mangas em forma de sino e corpetes que viravam saias, sem cintura demarcada. Até a família real cedeu à tendência. A princesa Margareth casou em 1960 com um modelo assinado por Norman Hartnell que, apesar da saia volumosa e da cintura demarcada, foi feito com organza de seda e sem nenhum dos tradicionais bordados ou rendas.

Depois dos indulgentes anos 1980, com suas saias bufantes e detalhes extravagantes, a coleção purista de Rifat Ozbek e a simplicidade luxuosa de Jil Sander e Zoran foram o antídoto perfeito na década de 1990. "No inverno, invista no branco, da cabeça aos pés, ou em gradações de dourado; é moderno, animado e representa um novo mundo, corajoso e brilhante", sugeriu a *Vogue* britânica em 1994. Como sempre, os vestidos de noiva estavam três passos atrás, e até mesmo aqueles que usavam pijamas de seda e camisas de caxemira ligavam o automático na hora de escolher o traje do casamento. Vera Wang, ex-editora da

Vogue e desenhista da Ralph Lauren, mudou isso com sua coleção do mesmo ano. Seus vestidos eram absurdamente simples, elegantes e em nada lembravam o modelo usado por Lady Di. "Quando mostrei meus vestidos pela primeira vez, as pessoas foram embora", disse Wang certa vez. Mas o fato é que eles são, simplesmente, uma opção elegante e atemporal. Carolyn Bessette Kennedy casou-se em 1996 com um vestido reto e simples assinado por Narciso Rodriguez, e Denise Richards escolheu um Giorgio Armani igualmente simples, de seda, para seu casamento com Charlie Sheen, em 2002.

O tailleur e o terninho brancos são alternativas modernas para as noivas que não gostam da ideia de usar vestido. Na década de 1930, Marlene Dietrich, a deusa bissexual do cinema, chocou as pessoas ao usar um terno e acabou recebendo o título de "homem mais bem vestido de Hollywood". Yves Saint Laurent colocou alguns ternos com lapelas de cetim na sua coleção de 1966. No ano seguinte, ele criou o visual "Le Smoking", um terno feminino que foi a estrela da sua coleção. A moda estava lançada. "Finalmente consegui colocar as mulheres em jérsei, sem sutiã e com calças", disse o estilista na *Vogue*, em 1969. Mesmo assim, era corajoso por parte de uma mulher usar terno. Noivas e noivos mais modernos abraçavam a causa; muitos usavam o modelo em cerimônias civis. "A revista *Elle* publicou vários artigos sobre os 'smokings' de Yves Saint Laurent, mas não deixava suas jornalistas irem trabalhar de calças. Imagine!", exclamou o diretor de arte parisiense Maïme Arnodin em *Yves Saint Laurent*, de Alice Rawsthorn.

Se o objetivo é causar impacto no casamento, opte por simplicidade. Nas palavras da veterana da moda Diana Vreeland, "a elegância é minimalista".

À direita

Joe DiMaggio e Marilyn Monroe se beijam após o casamento, em 1954. O tailleur é apropriado para a cerimônia civil, e a gola branca realça o rosto e as ondulações do cabelo loiro da *sex symbol*.

À esquerda

Denise Richards casa-se com o ator Charlie Sheen em Los Angeles, em 2002. Ambos usam roupas feitas por Giorgio Armani. O vestido de cetim minimalista de Richards tinha como complemento um casaquinho adornado com cristais.

Acima

Marla Maples casa-se com o megaempresário Donald Trump em Nova York, em 1993. O decote do vestido assinado por Carolina Herrera valoriza o colo e o busto.

À esquerda

A lenda do pop Lulu casa-se com Maurice Gibb, dos Bee Gees, em Buckinghamshire, Inglaterra, em 1969. O casaco longo, branco e com vison nas bordas cobre um minivestido de cetim branco. Capuz, lenço e chapéu eram alternativas ao véu e foram muito usados na década de 1960.

Acima

A atriz Talitha Pol após a cerimônia de casamento com o *playboy* John Paul Getty Jr. em Roma, em 1966. Ela usou um vestido branco curto com as bordas em vison. Ícone fashion e musa de Yves Saint Laurent por algum tempo, a modelo morreu de overdose em 1971.

Página 60

A atriz Mia Farrow ata os laços com Frank Sinatra em Las Vegas, em 1966. A simplicidade do vestido com o casaquinho combina perfeitamente com os traços delicados e o cabelo curto.

Página 61

O beatle Paul McCartney une-se à fotógrafa americana Linda Eastman em 1969. Linda usou um casaco amarelo por cima de um vestido marrom-claro, assim como sua dama de honra, a filha Heather.

Acima

O lorde Digby acompanha a filha Pamela em seu casamento com o político conservador Randolph Churchill, filho de Winston Churchill, em 1939, em tempos de guerra. Seu vestido escuro faz o contraste perfeito com o buquê de flores claras.

À direita

Natalie Wood e Robert Wagner deixam a igreja no Arizona após o casamento, em 1957. O bolero de renda, com capuz, cobre delicadamente os ombros.

À esquerda

A atriz francesa Clotilde Courau segura o braço do marido, Emanuele Filiberto, o chefe da Casa Real de Savoy, em 2003, em Roma. O vestido simples em georgette de seda feito por Valentino e um generoso buquê de rosas disfarçam sua gravidez de seis meses.

Acima

A estrela de cinema Judy Garland casa-se com Vincent Minnelli, em 1945. As ombreiras angulosas do vestido realçam a cintura fina.

À esquerda

Ava Gardner, então com 19 anos, casa-se com Mickey Rooney, em 1942, na Califórnia. O tailleur e o véu coloridos foram uma escolha elegante para uma cerimônia simples. Durante a Segunda Guerra Mundial, os broches substituíram os buquês; muitas mulheres se casaram de tailleur, pois até nos Estados Unidos o vestido branco luxuoso tinha se tornado um símbolo do antipatriotismo.

À direita

A ícone fashion Audrey Hepburn posa para foto com um vestido branco de festa com decote canoa. O cinto dá uma quebrada na unidade. O traje pode ser usado perfeitamente por uma noiva atual que esteja buscando um look mais sóbrio e simples. Hoje, luvas brancas e longas raramente são usadas, mas na década de 1960 elas eram comuns.

Página 68

A princesa Margaret deixa a Abadia de Westminster com Antony Armstrong-Jones, em 1960. Desenhado por Norman Hartnell, o vestido era bastante simples para uma integrante da realeza, sem os bordados e as rendas usuais. Feito em organza de seda, tem um decote em V e uma ampla saia.

Página 69

Priscilla Beaulieu une laços com Elvis Presley em Las Vegas, em 1967. Seu vestido de chiffon era cravejado de pérolas. Os vestidos da década de 1960 eram bastante retos e sem volume, quase como batas. Não tinham demarcação na cintura; desciam em linha reta dos ombros ao chão.

Acima

A modelo de capas de revista Jinx Falkenburg se arruma para a cerimônia, na década de 1940. Seu vestido minimalista com mangas curtas foi usado com luvas brancas longas.

À direita

A estrela de cinema Virginia Cherril posa para a câmera em seu casamento, em 1937, quando se tornou a nova Lady Jersey. Antes, havia se casado com Cary Grant e, mais tarde, virou a esposa do marajá de Jodhpur. Seu vestido recatado contrasta com a sandália sexy de tirinhas pretas.

À esquerda

Brigitte Bardot faz o papel de noiva de branco, em 1957. Quando a atriz se casou com Jacques Cherrier, dois anos depois, o costureiro Jacques Esterel criou para ela um vestido em linho rosa e branco quadriculado, enfeitado com bordado inglês, lançando assim a moda dos quadriculados em rosa.

Acima

Claudia Schiffer desfila para a Chanel em 1995. O clássico casaco Chanel é alongado e ganha caimento bem justo, compondo um vestido de noiva elegante e diferente.

28 MARLOES

À esquerda

O ator britânico David Niven é fotografado em seu casamento com a modelo sueca Hjordis Tersmeden, em 1948. O broche de flores usado com o traje escuro é uma boa alternativa ao buquê.

À direita

Bianca Jagger caminha pelo Aeroporto de Heathrow vestindo um terno branco de três peças, com chapéu preto e bengala, em 1972. Este traje é uma boa opção para noivas que estejam em busca de um look mais alternativo.

A DEUSA

No dia do casamento, a noiva é colocada no pedestal, tratada como uma deusa, e espera-se que se vista como tal. O que, então, pode ser mais glamouroso do que um vestido longo em corte enviesado valorizando as curvas femininas? Paul Poiret abriu sua confecção em Paris em 1903 e, com Jeanne Paquin, da Casa Paquin, convenceu as mulheres a deixar seus corpetes apertados para se tornar livres borboletas com a nova linha império. Enquanto as *suffragettes* se acorrentavam para exigir o direito de votar, as mulheres atentas às novas tendências desfilavam livremente em vestidos que caíam em dobras a partir da linha sob o busto. O drapeado clássico influenciou Mariano Fortuny a confeccionar vestidos pregueados cuidadosamente drapeados, os vestidos Delfos, presos ao corpo somente com uma fita de seda e enfeitados com cristais de Murano. Fora do corpo, eles pareciam um pedaço de seda colorida. A referência à Grécia antiga tornou-se rapidamente uma obsessão, e as mulheres ligadas na moda passaram a se casar com vestidos Delfos brancos. Na Roma antiga, as noivas usavam túnicas brancas presas com uma fita de lã atada com um nó especial, o nó de Hércules, para que os noivos o desfizessem. Quando Madeleine Vionnet abriu sua confecção em Paris em 1912, ganhou reputação ao inventar o vestido com caimento leve, porém colado ao corpo, com corte enviesado. Vionnet drapeava e torcia magicamente um pedaço de tecido, criando peças que fluíam pelo corpo como água.

Com a crise de 1929 e a Grande Depressão, as mulheres do povo distraíam-se da dura realidade sonhando com lindos vestidos de noiva bordados, mas somente as mais ricas tinham condição de possuí-los. Porém, para manter aceso o sonho de milhões de mulheres, foi lançada em 1934 a revista *So You're Going to Be Married!* ("Então, você vai se casar!"), que daria origem à revista *Brides*. O hipnotizante glamour de Hollywood era um escapismo garantido. Mulheres se transformavam em estrelas da noite para o dia; as demais copiavam os chapéus e os cortes de cabelo, desejavam cada vestido de gala usado por Joan Crawford, Marlene Dietrich e Greta Garbo. Os figurinistas Travis Banton, da Paramount, e Gilbert Adrian, da MGM, cuidavam para que suas deusas se vestissem como tal não só diante das câmeras, mas também longe delas.

A década de 1930 inaugurou o nascimento dos vestidos longos, de tecidos leves, brancos e com corte no viés. No fim da década de 1920, o "visual moleca" tinha perdido força e, mais uma vez,

À direita

A estrela de cinema Bette Davis posa para a câmera. As costas à mostra e a faixa acinturada adornada por um broche compõem um visual elegante. Na década de 1930, os vestidos com decote nas costas permitiam mostrar a pele bronzeada. Num vestido de noiva, as costas são muito importantes, pois a noiva passa boa parte da cerimônia religiosa de costas para os convidados.

À esquerda

A modelo Beverly Johnson posa com um vestido longo criado pelo estilista americano Halston. O decote em forma de V desce até a cintura alta. Favorito das beldades dos anos 1970, Halston se tornou famoso por seus vestidos de jérsei brilhante que dão falsa impressão de simplicidade.

os vestidos começaram a delinear a silhueta feminina. De repente, o glamour e o brilho voltaram à cena. Quando a princesa Marina da Grécia se casou, em 1934, usou um vestido com corte enviesado, posteriormente muito copiado, feito por Edward Molyneux, com um decote drapeado e mangas longas medievais. Sua tiara de brilhantes, lembrando raios de sol, ajudou a trazer as tiaras em forma de coroa de volta à moda. Vestidos de noiva em raiom, jérsei e cetim deslizavam sobre o corpo e ganhavam volume a partir dos joelhos – como um rabo de sereia –, realçando todas as curvas. Para deixar a silhueta mais alongada, eram compridos, com caudas que se arrastavam pelo chão; podiam também ser usados com véus e faixas na cintura, deixando as noivas deslumbrantes. Os acessórios seguiam as tendências do que era usado nas festas de gala, ainda que nessas ocasiões as mulheres mostrassem um pouco mais do corpo, com decotes generosos no colo e nas costas, vestidas em cetim branco ou veludo negro. A estilista Madame Grès tomou emprestadas algumas referências do drapeado oriental, nas dobras dos dotins e sáris indianos. Corpetes pregueados e cabelos ondulados completavam o visual simples e atraente, bem como acessórios brilhantes sobre a pele bronzeada.

Na década de 1970, com a chegada da era disco, esses vestidos com corte enviesado voltaram à moda, graças ao estilista americano Halston e às beldades que dançavam até o amanhecer no Studio 54, embaladas por cocaína. Halston vestia Bianca Jagger, Liza Minnelli e Jackie Onassis em luxuosos vestidos de gala drapeados, em jérsei ou cetim. Mas, para o casamento, os vestidos eram muito sensuais. As noivas dessa década preferiram se manter fiéis à tradição, optando por modelos nostálgicos e volumosos. A verdade é que os vestidos de Halston são bem mais adequados às noivas atuais, que adoram levar os modelos usados pelas estrelas para o altar. Esses trajes longos e enviesados facilitam bastante a vida de uma noiva que quer aproveitar a festa, dançando a noite toda. Zac Posen é conhecido por criar vestidos nesse estilo. Nomes como Collette Dinnigan, Amanda Wakeley, Catherine Walker, Badgley Mischka, Jenny Packham e Rebecca Street também são boas escolhas para noivas que querem glamour. John Galliano é o atual mestre do corte enviesado moderno; tanto nos vestidos desenhados para a sua própria marca quanto nos criados para a Dior, onde é o diretor artístico, ele transforma Cinderelas em deusas. Mas há um preço, é claro. Em 2006, Sophia Kokosalaki desenhou a coleção para a reabertura da Casa de Vionnet, que havia fechado as portas em 1939. Marc Audibet tomou a frente da grife em 2008 e, assim, o legado de Madame Vionnet, a mestra no corte enviesado, segue cheio de vida.

À esquerda

A atriz Drew Barrymore usa um vestido ligeiramente transparente, feito por John Galliano para a grife Christian Dior, em 2007.

À direita

A bela da praia. Este vestido de noiva assinado por Amanda Wakeley, feito em jérsei, tem alças cravejadas de cristais Swarovski. É uma bela opção para noivas que desejam realizar a cerimônia na praia.

Página 84

Uma noiva elegante entra na passarela durante o desfile primavera/verão 2007 de alta-costura da Giorgio Armani. A alça feita de joias é integrada ao vestido, e o véu liso quase funciona como uma segunda cauda.

Página 85

A top model Kate Moss chega ao evento de moda The Golden Age Of Couture Gala, em Londres, em 2007, com visual inspirado nas deusas do cinema da década de 1930. O vestido longo em cetim de seda de cor clara combina com os longos cabelos loiros da modelo.

À esquerda

Barbara Stanwyck veste um glamouroso vestido de gala que pode perfeitamente ser usado por uma noiva atual. A faixa drapeada detalha e define os ombros, criando um lindo desenho nas costas.

Acima

Bette Davis abusa da sensualidade com um vestido branco que é quase uma segunda pele. Vestidos brancos de cetim ou seda de corte enviesado, que mostram as curvas, eram os preferidos das estrelas da década de 1930. Modelos assim podem ser usados por noivas em forma.

À esquerda

Recém-casada, a cantora e bailarina Josephine Baker, cujos apelidos eram Vênus Negra e Pérola Negra, aposta em um chapéu extravagante, em 1947, na cidade de Millandes, França.

Página 90

Modelo desfila para a Dior, em Praga, em 2007, exibindo um vestido drapeado e bordado na frente com contas e canutilhos. Noivas que não queiram usar joias podem introduzir brilho por meio dos bordados com cristais e strass.

Acima

Edwina Ashley casa-se com o lorde Louis Mountbatten, bisneto da rainha Vitória, em 1922, em Londres. Seu vestido prateado feito pela casa londrina Reville-Terry foi decorado com bordados em cristais e diamantes.

Página 91

A estrela Betty Grable, em 1942. O vestido de renda grossa sobre um modelo branco sexy mantém o visual elegante e recatado. Noivas que gostam de um look mais luxuoso podem usar casaquinhos de renda ou boleros com um tomara que caia.

À esquerda

Marlene Dietrich, o ícone bissexual do cinema, uma das primeiras mulheres a usar calças publicamente, mostra-se o mais feminina possível nesta foto. Chapeleiros como Philip Treacy resgataram as penas na década de 1990, tornando-as enfeites bastante comuns em casamentos, como alternativa ao chapéu para as convidadas e ao véu para as noivas.

À direita

Os vestidos de tecidos leves, colados ao corpo, com decotes drapeados e a parte inferior mais aberta, arrastando-se no chão, eram o segredo da década de 1930 para fazer a mulher parecer mais alta e combinavam bem com os cabelos ondulados da época.

Página 94

O longo vestido de noiva de Yves Saint Laurent para sua coleção primavera/verão 1999 inspira-se em vestidos da Grécia e da Roma antigas. O estilo império enfatiza o decote, ainda que discreto. Nos cabelos, flores substituem o véu.

Página 95

A bailarina russa Anna Pavlova dança livremente com um vestido sem corpete. Famoso por criar os modelos Delfos, inspirados na Grécia antiga, o estilista Mariano Fortuny fazia vestidos semelhantes a esse.

À direita

Bette Davis usa um vestido metálico com decote ousado nas costas. Acompanhado de estola, pode ser uma boa opção para a noiva que queira um modelo sexy para a festa, mas modesto para a cerimônia.

Acima

A top model Naomi Campbell veste um modelo de alta-costura desenhado por Elie Saab para sua coleção outono/inverno 2003-2004, em Paris. Vestidos de noiva luxuosos em brocado e lamê prateado ou dourado eram muito comuns nas décadas de 1920 e 1930.

À esquerda

O desfile da coleção primavera/verão 1998 de Yohji Yamamoto explorou o tema do casamento e trouxe um casal de noivos com as roupas trocadas. Este clássico vestido de noiva drapeado e com detalhes torcidos escorrega elegantemente pelo corpo.

À direita

A atriz Gwyneth Paltrow usa um vestido de cetim de Stella McCartney em 2005. Trata-se de uma boa escolha para a noiva que fará uma recepção à noite, já que combina elegância e glamour.

Página 100

Lee Radziwill ao lado do bailarino Rudolph Nureyev em Nova York, em 1974. A blusa transparente dá um toque especial ao vestido branco simples.

Página 101

Clark Gable e Constance Bennet brindam no filme *Tudo Pode Acontecer*, de 1935. As mangas soltas e enviesadas do vestido criam ondulação e movimento, tornando o conjunto harmonioso com os cabelos ondulados.

À esquerda

A *sex symbol* Jean Harlow com um modelo de alças altas, coladas ao pescoço, bastante elegante. Alças desse tipo foram uma forte tendência na década de 1930, promovida por Madeleine Vionnet.

À direita

A atriz Rita Hayworth em um look sensual, em 1942. Vestidos com corpetes justos e saias longas voltaram à moda na década de 1940. A silhueta ficou ainda mais demarcada a partir de 1947, com o new look de Christian Dior.

À esquerda

Noivos tomam champanhe depois da cerimônia, em Manhattan. As ombreiras destacam a figura esguia da noiva.

Página 106

Noiva desfila na coleção outono/inverno 2000-2001 da Christian Dior, em Paris. O estilista John Galliano é conhecido por seus vestidos de corte enviesado. Para esse modelo, buscou inspiração no glamour hollywoodiano da década de 1930.

Acima

A atriz americana Carole Landis e o marido, Thomas Wallace, recebem um brinde no Savoy Hotel, em Londres, em 1943. Vestidos brancos eram um luxo raro, devido aos altos impostos do período da Segunda Guerra. A maioria das mulheres vestia tailleurs ou mesmo uniformes.

Página 107

Florence Crane se casa em 1933, em Chicago. Seu vestido longo e brilhante, com decote alto e mangas justas cobrindo os punhos, é típico dos anos 1930.

Acima

O estilista alemão Karl Lagerfeld dá uma espiadela em sua noiva que entra na passarela durante o desfile da coleção primavera/verão 2007 da Chanel, em Paris. Sua coleção foi inspirada na modelo Edie Sedgwick, uma jovem rebelde dos anos 1960.

À direita

A estrela hollywoodiana Joan Crawford posa com vestido branco estilo império, demarcado abaixo do busto. A cauda fluida da saia completa o look, bem adequado a uma noiva atual.

À esquerda

Os cabelos com pontas enroladas da atriz Bette Davis harmonizam com o vestido de extremidades onduladas. O bolero que ela usa é um complemento perfeito para um vestido de noiva bem decotado.

Acima

A estilista Norman Hartnell desenhou este vestido com uma capa de penas de avestruz para Lady Alice Montagu--Douglas-Scott em seu casamento com o duque de Gloucester, em 1935. O vestido foi um presente de casamento do governo sul-africano.

À esquerda

Jean Harlow mostra um pouco das pernas neste magnífico vestido de corte enviesado. As mangas soltas faziam modelos como este parecerem ainda mais longos.

À direita

Angelina Jolie com um vestido atemporalmente elegante, desenhado por Marc Bouwer, durante a cerimônia do Oscar de 2004. O profundo decote que vai até a cintura chama a atenção para o colar.

À esquerda

A diva Diana Ross se casa com o empresário Arne Naess na Suíça, em 1986. O bolero e a cauda de renda dão elegância ao vestido de cetim. Como se usava na década de 1920, as flores estão na altura dos olhos, e não no alto da cabeça.

À direita

Menos é mais. Este vestido de noiva tomara que caia desenhado por Vera Wang em 2007 é outro símbolo de elegância atemporal. O drapeado da parte superior chama a atenção para o rosto, enquanto a saia longa é simples e feminina.

À esquerda

Modelo usa vestido feito por Madeleine Vionnet em 1935. Inventora do corte enviesado, Vionnet também era famosa pelos vestidos drapeados que se ajustavam às curvas femininas. Ela inspirou muitos estilistas contemporâneos, notadamente John Galliano.

À direita

Criado por Marc Audibet para a reabertura da Casa de Vionnet, este vestido de lamê dourado plissado fez parte da coleção primavera/verão 2008 da grife. Madeleine Vionnet vestia estrelas de cinema como Greta Garbo e Marlene Dietrich, mas, em 1939, fechou sua confecção em Paris devido à guerra.

A DONZELA

A moda para noivas alterna-se entre silhuetas demarcadas e peças leves e fluidas. Corpetes justos acompanhados de saias grandes e volumosas, no início do século 20, e vestidos largos, sem demarcar o corpo, na década de 1960, não duraram muito. Há sempre um retorno aos estilos românticos. Vestidos brancos mais suaves, remanescentes daqueles usados por jovens na era medieval, são resgatados com frequência. No início do século 20, os estilos medieval, celta e art nouveau eram as tendências. Na década de 1920, as noivas vestiam-se como Guinevere (a heroína de Lancelot), em vestidos com tecidos trançados, fios prateados, guirlandas de flores e mangas medievais. Para um look mais etéreo, usavam-se vestidos leves e esvoaçantes, bordados com pérolas e cristais. A peça usada pela rainha-mãe na Inglaterra, em 1923, recebeu influências da estética medieval italiana, com faixas de lamê prateadas cruzando um delicado corpete de chiffon. Nos anos 1930, uma nova onda de simplicidade e glamour apareceu. Madeleine Vionnet criou um vestido de madona medieval, logo adotado pelas noivas, com um belo buquê de açucenas.

A figura da donzela em perigo ou da jovem bela e perseguida eram arquétipos dos romances medievais, em que essas mulheres viviam desorientadas e perdidas até a chegada de um cavaleiro em seu cavalo branco para salvá-las. É um tema clássico que se repete nas artes e na literatura em todo o mundo, mas não é, definitivamente, algo que fortalece a figura feminina: nesse arquétipo, a mulher é fraca e indefesa e precisa da ajuda do homem. Ainda assim, os vestidos que remetem a esse arquétipo são recorrentes e – ao contrário de terninhos – são uma escolha segura e tradicional para as noivas.

Se o objetivo é usar um traje simples, feminino e esvoaçante, essa pode ser a aposta. Normalmente, em vez da cintura demarcada, estreitam logo abaixo do busto, o chamado estilo império, abrindo-se até os joelhos ou os pés. A origem do modelo está na Grécia e em Roma, e ele foi adotado no começo do século 19 pela imperatriz Josefina, esposa de Napoleão Bonaparte. O vestido adere bem em diferentes tipos de corpo e dá um ar sensual; graças ao costureiro Paul Poiret, ele voltou à moda no início do século 20.

À direita

Norman Parkinson fotografou a modelo Jerry Hall em seu vestido de noiva neste requintado quarto do Palácio de Versailles, França, em 1975. As noivas da década de 1970 usavam modelos mais leves e soltos e demarcavam a cintura com fitas e faixas. Tiaras de flores eram colocadas nos cabelos soltos.

À esquerda

Béatrice Chatelier, terceira esposa do executivo francês Eddie Barclay, casa-se em Paris em 1970. O chapéu bordado e o vestido com ombros à mostra compõem um opção informal, mas bastante feminina, para um casamento de dia, no verão.

Na década de 1970, os sutiãs foram queimados e pregava-se o amor livre. O modelo "donzela" voltou, com a releitura de estilistas como Zandra Rhodes, Bill Gibb, John Bates e Ossie Clark, que usavam rendas e tecidos transparentes na confecção de vestidos esvoaçantes. Havia algo no desenho leve e confortável desses modelos que caiu nas graças da estética hippie. As mulheres optaram, então, por saias longas com balanço, inspiradas na Índia, na China e no Afeganistão. Ou eram seduzidas pelo visual bucólico das saias de babados, imortalizadas na Inglaterra por marcas como Laura Ashley. Havia um melancólico retorno à inocência, um olhar ao passado e uma rejeição à estética futurística. As noivas queriam modelos simples, delicados e despojados, e chegavam à cerimônia em carruagens. Alguns vestidos não tinham nenhuma demarcação na cintura; outros eram amarrados com faixas e cordões. O que mais havia de vanguarda eram peças que apostavam nos clássicos da década de 1920, enfeitados com pedras e canutilhos. No mais, reinaram os modelos com mangas longas, feitos de chiffon e renda. A ordem era sentir-se livre. Batas de renda e cabelos ornados com flores também compunham o visual – que, verdade seja dita, era completamente fantasioso.

Na segunda metade da década, os babados voltaram. Não só eles, mas as mangas longas com punhos enfeitados. É como se o esqueleto dos vestidos tivessem sido arrancados, deixando apenas a pele solta, balançando. Coques, penteados, cachos ou cabelos soltos e longos complementavam a estética da época. Anéis feitos com flores e chapéus eram usados, junto com as tradicionais tiaras e longos véus.

Hoje, esse estilo funciona bem para cerimônias informais, na praia ou no campo, ou para recepções diurnas. Um chapéu de abas grandes ou um anel de flores são acessórios indicados. Os atrativos dessa escolha são a feminilidade e a simplicidade, em oposição aos requintados vestidos de gala. E há uma diferença importante na atualidade: as mulheres até podem se vestir como donzelas, mas sabem se virar sozinhas para sair do perigo. Não precisam mais de um cavaleiro – ao menos não para salvá-las das ameaças.

À esquerda

O vestido desenhado por Oscar de la Renta é decorado pelo próprio tecido do vestido. Um modelo verdadeiramente moderno, com cauda curta. Poderia ser usado com véu ou sem qualquer outro complemento.

À direita

Como peça final de sua coleção outono/inverno 2007-2008, a estilista londrina Ashley Isham fez um vestido de renda com uma pequena cauda de chiffon lembrando um rabo de sereia.

À esquerda

Quando a princesa Marina da Grécia casou-se com o duque de Kent, seu primo de segundo grau, em 1934, usou um vestido bastante copiado de brocado branco e prateado, feito por Edward Molyneux. Com isso, ajudou a estabelecer a tendência do estilo medieval simples, com tiara, mangas longas e decote drapeado.

Acima

A atriz do cinema mudo Billie Dove usa um vestido de noiva e leva um buquê de lírios. As noivas da década de 1920 colocavam lenços na cabeça e flores na altura das orelhas. O longo véu de tule complementa o vestido curto e solto, também uma moda da época.

Acima

Desenhado por Zandra Rhodes em 1972, este vestido de noiva possui uma longa saia plissada de cetim e uma leve estampa. O peitilho também é plissado. Depois da moda de vestidos curtos e simples da década de 1960, o visual mais luxuoso, com saias amplas e babados, voltou na década seguinte.

À direita

Um estilo romântico e moderno. O modelo desenhado por Jeanne Lanvin em voile canelado e sem mangas é usado com uma faixa escura abaixo do busto. O chapéu de abas largas é preso ao queixo com o mesmo material da faixa.

Acima

O compositor Jim Webb com a noiva, Patsy Sullivan, um padrinho e uma madrinha em cerimônia de casamento ao ar livre sob uma árvore, em 1974.

Página 132

A maquiadora Jemma Kidd e o conde de Mornington casam-se na Igreja de St. James, em Barbados. A noiva usa um modelo que compõe um visual ao mesmo tempo romântico e simples. O pequeno buquê de rosas dá um toque especial ao conjunto.

À direita

A década de 1970 presenciou uma nova fluidez nos vestidos depois do "visual de bata" da década anterior. Babados soltos, faixas, rendas e outras referências históricas do período romântico vitoriano voltaram a ser usados em trajes de noiva.

Página 133

Uma noiva de pés descalços. A atriz Renée Zellweger recebe do noivo Kenny Chesney um beijo na mão, em praia das Ilhas Virgens, em 2005. Seu vestido sóbrio foi desenhado por Carolina Herrera.

8

À esquerda

O príncipe Haakon da Noruega e sua mulher Mette-Marit deixam a Catedral de Oslo, em 2001. O filho da noiva, de quatro anos, foi um dos pajens. O vestido escultural de crepe de seda foi criado por Ove Harder Finseth, e o longo buquê é composto de rosas, orquídeas e hidrângeas.

Acima

O artista pré-rafaelita John William Waterhouse pintou *Lady of Shalott* em 1888, inspirado em um poema de Alfred Tennyson. Lady de Shalott se amaldiçoou ao olhar diretamente para Sir Lancelot; as velas do quadro simbolizam a morte. Ela usa um longo vestido tipicamente medieval.

-185

À esquerda

A atriz hollywoodiana Vilma Bánky interpreta a noiva no filme *The Dark Angel* ["O anjo negro"], de George Fitzmaurice. O vestido de renda com forro de cetim é complementado por um arranjo de flores de laranjeira amarrado à cintura. Da touca de renda veneziana emerge um enorme véu de tule branco.

Acima

O véu e a cauda da noiva são erguidos pelo vento enquanto ela sai da igreja com seu marido, em casamento da década de 1930. Modelos de cauda longa eram comuns nessa época.

Acima

Pete Townshend, do grupo britânico de rock The Who, une-se a Karen Astley, em 1968. Influenciado pela era eduardiana, o vestido romântico de mangas compridas mostra como os vestidos de noiva ficaram mais delicados no fim da década de 1960.

À direita

Em 2007, a atriz Keira Knightley usa um modelo anos 1960. As noivas mais ousadas daquela época escolhiam geralmente vestidos curtos que não demarcavam o corpo, em renda floral ou tecido bordado.

LOOK SMART

À esquerda

Uma noiva em 1912 se arruma para a cerimônia. Os arranjos de cabelo eram às vezes cobertos de pérola e flores de cera; os vestidos estilo império recebiam geralmente flores de seda logo abaixo do busto.

Acima

Bobby Gillespie, vocalista do Primal Scream, casa-se com Katy England em Staffordshire, em 2006. O vestido branco e rosa desenhado por Alexander McQueen e o buquê de flores do campo são românticos e naturais, próprios para um casamento ao ar livre durante o dia.

À direita

A senhora Ronald Lambert é fotografada usando um vestido de cetim branco e um lindíssimo véu de renda Honiton em seu casamento, em 1920. Os vestidos mais despojados dessa década requeriam o contraste de véus longos e ornamentados. As sapatilhas de bailarina, amarradas com fitas de cetim na altura dos tornozelos, completam o visual.

Acima

Lady Elizabeth Bowes-Lyon, mais tarde rainha-mãe, casa-se com o futuro rei Jorge VI, em 1923. O vestido foi feito pela estilista da corte, Madame Handley Seymour, com inspiração medieval. Peças assim, com decote quadrado, enfeites em lamê prateado e debruados de renda, estavam em moda na época.

À esquerda

William Clarke Wontner pintou o quadro *Green Beads* ["Contas verdes"] em 1914, época na qual a Grécia antiga era idealizada em alguns círculos artísticos como um período dourado, com mulheres belas e cheias de graça e languidez.

À direita

A atriz Emily Mortimer une-se a Alessandro Nivola, em 2003. Seu vestido delicado estilo império, as mangas transparentes e um charmoso conjunto de botões dão um visual elegante, mas sem extravagância.

Acima

Detalhe da pintura *Recepção em Malmaison*, de François Flameng, de 1802, na qual Napoleão persegue sua esposa, a imperatriz Josefina. A monarca popularizou o estilo império, acinturado abaixo do busto, inspirado na Grécia antiga. Modelos desse gênero eram vistos como escandalosos quando começaram a ser usados pelas francesas mais modernas.

Página 150

Liza Minnelli casa-se com Peter Allen em 1967. O vestido de gola alta com belos detalhes em renda na manga faz referência à moda eduardiana. Influências históricas dessa época, bem como da vitoriana, fizeram-se presentes nas décadas de 1960 e 1970.

À direita

As noivas da década de 1970 usavam modelos simples, que muitas vezes representavam a nostalgia por um estilo de vida bucólico. Cabelos soltos e vestidos largos com estampas indianas se tornaram muito populares. A forma ideal de ir à igreja era de pônei ou carruagem. Flores e chapéus substituíram tiaras e véus.

Página 151

Feito com tule e renda engomada, o romântico vestido da década de 1930 foi desenhado pela grife Chanel. Apesar de introduzir inúmeras inovações, Gabrielle "Coco" Chanel defendia o branco como cor obrigatória para os vestidos de noiva, fosse a mulher rica ou pobre.

O CONVENCIONAL E O ALTERNATIVO

As tendências para vestidos de noiva têm muito mais a ver com a história dos trajes do que com moda; elas caminham paralelamente à moda das passarelas e das ruas, mas raramente a seguem, preferindo selecionar a dedo elementos da tradição. Se por um lado o matrimônio representa o planejamento do futuro, por outro as noivas costumam recorrer a estilos do passado, num interessante paradoxo. E, à medida que as cerimônias se tornam seculares, elas correm o risco de virar apenas festas temáticas. Hoje, é possível encontrar na internet anúncios de festas de casamento com temas medievais e românticos, que transformam o grande dia em uma ocasião para brincar com a expectativa dos convidados. A cerimônia e a celebração acabam parecendo uma peça de teatro, com direito a ensaio e lições de dança. Por isso, uma fantasia acaba não sendo de todo má. Quando o comediante Matt Lucas celebrou sua união com Kevin McGee, em 2006, a cerimônia repleta de convidados elegantemente vestidos foi seguida de uma luxuosa festa com temas de teatro. Fazer os votos de amor e fidelidade vestido como Aladim não teria tido o mesmo efeito.

Modelos informais e contemporâneos são bem-aceitos no Ocidente, mas muitas vezes ainda são vistos como inadequados. Porém, à medida que as mulheres passaram a se casar cada vez mais tarde e os noivos passaram a arcar com as despesas da festa sem ajuda dos pais, a mãe da noiva tem perdido espaço nas decisões sobre a cerimônia, o que significa maior liberdade para as escolhas do casal. Ao contrário do que ocorria no século 20, não se pode mais resgatar o vestido de Cinderela usado uma única vez e guardado num caixa no sótão. Afinal, o que pareceria mais fora de moda do que uma noiva com saia volumosa e mangas bufantes? Até o final da década de 1950, os vestidos tinham como referência as roupas do dia a dia, para que pudessem ser usados em outras ocasiões. No século 19, as mulheres também não tinham o hábito de usar a peça uma vez só. Nancy Mitford escreveu em *Love in a Cold Climate* ["Amor em um clima frio"], romance sobre a década de 1930: "Eu não via a hora de usar meu vestido de noiva na primeira festa que houvesse". Na década de 1950, os modelos eram usados sem o bolero de renda do dia da cerimônia. Até mesmo a rainha Vitória reciclou a renda usada em seu vestido para fazer mantos reais. Hoje, raramente uma mulher usa o vestido de noiva em outra ocasião, ainda que compre um de segunda mão na internet ou em um brechó.

À direita

Audrey Hepburn e Fred Astaire dançam no filme *Cinderela em Paris*, de 1957. O vestido foi desenhado por Hubert de Givenchy, com quem a atriz manteve uma relação bem próxima. Com seus modelos elegantes, o costureiro a ajudou a transformar-se em ícone fashion, e ela lhe emprestou sua beleza delicada.

À esquerda

O príncipe espanhol Filipe de Bourbon deixa o altar com sua noiva, a princesa Letizia Ortiz, em cerimônia na Catedral de Almudena, em Madri, em 2004. O estilista espanhol Manuel Pertegaz desenhou o modelo em *off-white* (branco envelhecido), com gola alta e ondulada em volta do decote e uma longa cauda. Este era o segundo casamento de Letizia.

Na década de 1950, pela primeira vez as jovens se recusavam a se vestir como suas mães. As mais ousadas queriam se vestir como *beatniks* ou motoqueiras. Seus ícones eram Marilyn Monroe e Brigitte Bardot, que se casou em um vestido xadrez branco e rosa. Lojas de departamento e confecções eram ágeis em satisfazer os desejos desse novo mercado. Mas quando o assunto é casamento, as mais ricas sempre escolhem os estilos mais luxuosos, assinados por um Cristóbal Balenciaga, um Norman Hartnell ou um Christian Dior. E, como não pode deixar de ser, os modelos são largamente copiados por milhares de lojas e confecções.

Na Swinging London da década de 1960, a juventude tomou conta de tudo – lojas, restaurantes e estúdios de música. "De todos os elementos necessários para criar os anos sessenta, o conceito de juventude autônoma talvez seja o mais importante", escreveu Jonathon Green em *All Dressed Up* ["Vestindo-se com elegância"]. A palavra de ordem era juventude. Porém, o estilo mod de Mary Quant e o visual futurista de André Courrèges tiveram pouco impacto nos vestidos de noiva, já que as peças mais escolhidas eram as demarcadas abaixo do busto – o chamado estilo império –, em *off-white* e com saia longa, cauda e um véu comprido. Ainda que menos enfeitados que os da década anterior, eram modelos luxuosos. Já os acessórios para os cabelos mudaram bastante: de flores e chapéus de pele a lenços e modelos pequenos com o véu costurado. As mais audaciosas apostavam em minissaias; John Bates desenhou um traje para noivas que se inspirava no modelo justo da Mulher-Gato, e Yves Saint Laurent apostou em um biquíni coberto de flores. Vestidos transparentes que deixavam a lingerie à mostra e os modelos feitos de papel provavelmente nunca saíram das páginas dos editoriais de moda; uma alternativa mais realista eram peças curtas em bordado inglês ou renda.

Em 1968, em Paris, Balenciaga se aposentou, estudantes saíram às ruas e Emmanuel Ungaro declarou: "Vamos matar a moda". Amor e revolução eram o que importava. No casamento civil, os noivos usavam jeans. Talvez aí pudesse ter sido decretada a morte do vestido branco... mas não. Por volta de 1971, mais de 80% dos modelos vendidos nos Estados Unidos eram brancos e iam até os pés. Vestir-se para satisfazer a expectativa de amigos e parentes era importante naquela época, e ainda é hoje. "As mulheres não queriam os vestidos de noiva de jeito nenhum", explicou Monica Hickey, que trabalhou como consultora de noivas em 1970, em um artigo no *New York Times*, em 1997. "Mas a maioria cedia porque suas avós lhes tirariam do testamento se não o fizessem", completou. Para as que resistiam, havia caftans medievais, batas camponesas, peças mexicanas bordadas e vestidos vintage – tudo para noivas. A loja The Barefoot Bride New York abriu em 1972 com modelos inspirados em trajes islâmicos, vestidos curtos e chapéus em lugar do véu. Hickey afirmou: "Nós fizemos uma vitrine em Bergford em que a mulher, descalça, usava um vestido indiano bordado e carregava ramos de trigo. Estávamos prestando homenagem aos hippies – ainda que aos ricos".

Em 1994, o Reino Unido flexibilizou as leis do casamento civil: as noivas poderiam fazer suas cerimônias em jardins, casas ou até num supermercado. Hoje, cada vez mais os casais escolhem lugares diferentes, inclusive no exterior, para realizar o desejo de ter um casamento original, longe de igrejas e cartórios. Com isso, cresceu o número de cerimônias exóticas – dentro do mar, em balões, em saltos de paraquedas ou em resorts nudistas. Há ainda as cerimônias de "atar as mãos" em locais sagrados, populares entre adeptos de religiões alternativas, como os *wiccas* ou os druidas – no ritual, as mãos unidas dos noivos são atadas com uma corda ou fita.

Lugares diferentes pedem trajes diferentes. Para a praia, há modelos sem cauda e usados sem sapato, mas com alguma decoração nos pés. Para casamentos à noite, é possível comprar um vestido de gala de cor suave. Costureiros e confecções têm apostado nesses modelos. Valentino e Christian Lacroix são dois estilistas que colocam em suas coleções de noiva vestidos de gala em cores nupciais que podem ser usados em outras festas.

Para as noivas do início do século 20, as opções eram os modelos assinados por costureiros como Worth, o pai da alta-costura, ou feitos em confecções simples. Um século depois, em 2007, o preço médio de um vestido de noiva no Reino Unido era 900 libras (cerca de 2.700 reais). Enquanto as mais ricas apostam em uma peça de alta-costura da Dior, as lojas de rua e os shoppings aparecem para salvar a pele das menos favorecidas. É possível adquirir modelos de 60 a 200 libras (180 a 600 reais) que atendem bem às expectativas. Ou, então, por que não fazer um casamento nudista e usar o dinheiro das roupas na lua de mel?

À direita

O estilista Karl Lagerfeld entra na passarela com uma de suas modelos na coleção outono/inverno 2006-2007 da Chanel, em Paris. A modelo usa um vestido de noiva em forma de túnica, com calça *skinny*.

Acima

Casamento sob a água ou em saltos de paraquedas são apenas algumas das opções exóticas de cerimônia oferecidas aos noivos.

À direita

Hiroshi Matsuoja observa sua noiva Akemi Kito assinar os papéis do casamento, durante cerimônia feita dentro de uma capela de gelo na "Aldeia Iglu", no lago Shikaribetsu, no norte do Japão, em 2007.

À esquerda

Vestido de noiva prêt-à-porter. A modelo caminha na passarela durante o evento "H&M celebra a coleção de Viktor & Rolf com um desfile de casamento", em Beverly Hills, em 2006. Feito pelos estilistas holandeses Viktor & Rolf, o vestido custava 200 libras e foi colocado à venda na loja de departamentos H&M.

À direita

Este modelo de Christian Dior, usado sobre um biquíni, é da década de 1960, quando rendas e bordados eram muito comuns nos vestidos, tanto longos como curtos. Só as mais ousadas usavam vestido de renda sem forro.

Acima

Nipa, dos Hells Angels da Finlândia, casa-se com Ursula, na Catedral Ortodoxa de Uspenski, em Helsinque, em 1999.

À direita

Cilla Black usa um vestido curto vermelho em seu casamento, em 1969. No Ocidente, essa cor ainda é vista como uma escolha ousada, já que representa o oposto do branco, puro e virginal. Na China e na Índia, ao contrário, o vermelho é bastante usado pelas noivas por ser auspicioso.

JE
AIME

Página oposta

Audrey Hepburn ao lado de Mel Ferrer em 1954, em um vestido simples com cintura demarcada, mangas amplas e saia godê. Ícone fashion, Hepburn era imitada frequentemente, com suas calças capri, sapatilhas e saias de balé.

À esquerda

Rita Hayworth se casa com o príncipe Aly Khan, em 1949. O costureiro Jacques Fath fez um modelo de crepe azul-claro, que foi largamente copiado. O vestido, em estilo new look, era usado com um chapéu em lugar do véu.

Página 166

O estilista Jean-Paul Gaultier, conhecido como o *enfant terrible* da moda, veste o casal de noivos em suéteres em tricô brancos para sua coleção outono/inverno 1998-1999. O efeito é surpreendentemente sereno e bonito.

Página 167

O beatle John Lennon e sua esposa Yoko Ono seguram a certidão de casamento após saírem do cartório, em Gibraltar, em 1969. As minissaias eram usadas com botas na década de 1960, mas Yoko preferiu tênis e meias longas.

Acima

Michael Farr e Tracey Austin saem da igreja em uma moto, deixando para trás cerca de 60 amigos hippies com guitarras e flores, em 1969. Eles não trocaram alianças; em vez disso, Farr apoiou uma corrente sobre a Bíblia e recebeu a bênção do reverendo Ted Noffs.

À direita

Mark e Nicola Gamblin saem da cerimônia em trajes de couro, em Devon, Inglaterra, em 2002.

SUZUKI

À esquerda

Em 1967, Yves Saint Laurent fez sua primeira noiva de biquíni, com a manequim Twiggy usando um modelo com flores. Aqui, o traje reapareceu na coleção primavera/verão 1999 do estilista, em Paris.

Acima

Onze casais trocaram as alianças em cerimônia coletiva no resort Hedonism 111, na Jamaica, em 2002. Os grandes buquês foram estrategicamente posicionados para as fotografias de casamento.

Acima

Danny McCulloch, do grupo pop britânico The Animals, e Carol Fielder saem do cartório, em 1967. A noiva parece uma boneca com seu minivestido branco

À direita

O príncipe holandês Johan Friso e Mabel Wisse Smit deixam o salão da sede administrativa de Delft, Holanda, em 2004. Criado por Viktor & Rolf, o traje da noiva levou 600 horas para ficar pronto. Ao todo, 248 laços feitos à mão cobrem o vestido e a cauda.

À esquerda

A Rainbow Family ("Família Arco--Íris") é um grupo de hippies que se encontram todo ano em um enorme acampamento. Aqui, eles realizam a cerimônia de casamento de um jovem casal no Oregon, em 1997, com os membros do grupo sentados em um grande círculo.

Acima

Um jovem casal hippie casa-se ao ar livre em Los Angeles, em 1968. A noiva usa guirlandas de flores nos cabelos. Noivas não convencionais usavam caftans egípcios, vestidos mexicanos ou apenas uma calça jeans.

NORTE, SUL, LESTE, OESTE

Em tempos de globalização e mistura de culturas, os casamentos ocidentais acabam absorvendo elementos de outros países. São anglo-saxões que se casam como hindus ou judeus liberais que se inspiram nos antilhanos. Algumas noivas se esforçam para fazer do grande dia algo inusitado e distante da tradição, optando por praias e montanhas, ou ainda encaram lugares e roupas de outra cultura. Pode ser uma cerimônia em uma riad marroquina ou em uma praia na Tailândia, um casamento coletivo na China – onde centenas de noivos dizem sim todos juntos – ou um casamento rápido e sem autorização dos pais na cidade escocesa de Gretna Green ou em Las Vegas. Há muitas possibilidades. Mick Jagger e Jerry Hall casaram-se em Bali em 1990, em uma cerimônia hindu (ver p. 198), e Kurt Cobain e Courtney Love escolheram uma praia no Havaí, em 1992. Hoje, é possível até escolher uma cerimônia maia entre as ruínas da península de Yucatán, no México. Ou, para uma experiência mais tradicional, a Disney oferece pacotes de casamento que incluem uma voltinha na carruagem da Cinderela.

Às vezes, novas tradições e identidades culturais são construídas pelo enfraquecimento de fronteiras entre religiões, costumes e continentes. No Japão, ainda que a maioria das cerimônias seja feita em um santuário xintoísta, algumas noivas têm introduzido vestidos brancos e tradições ocidentais; os japoneses católicos casam-se em igrejas. "Usam-se roupas tanto da moda japonesa como da ocidental, trocam-se alianças em cerimônias xintoístas, servem-se jantares franceses e o bolo é cortado por noivos vestidos com quimonos... as mulheres que entrevistei identificam seus casamentos como tipicamente japoneses", escreve Masami Suga em *Wedding Dress Across Cultures* ["O vestido de noiva em diferentes culturas"]. Elas fazem a festa como desejam, e não veem nada de ocidental no evento.

Os estilistas costumam buscar inspiração em outras culturas, a fim de inovar o estilo, o corte, as cores e os detalhes. Entre o fim dos anos 1960 e o início dos 1970, eles tiveram de fazer um esforço extra na busca por referências ao redor do mundo para vestir a geração *flower power*. No inverno, as noivas usavam casacos com punhos de pele de animais, num visual à la *Doutor Jivago*. Culturas diferentes influenciam até hoje o trabalho de estilistas e grifes como Yves Saint Laurent, Jean-Paul Gaultier e John Galliano. Quando a noiva e o noivo possuem religiões diferentes, é possível ter dois líderes religiosos na festa, como um rabino e um padre. Em uma cerimônia ocorrida nos Estados Unidos, baseada tanto nos preceitos do

À direita

A top brasileira Gisele Bündchen em evento do Museu de Arte Metropolitana de Nova York, em 2006. Seu vestido longo e colado ao corpo possui franjas e bordados típicos de uma mantilha tradicional espanhola.

À esquerda

Ângela King casa-se com Eric Burdon, vocalista do grupo pop inglês The Animals, em 1967. Ela usa um sári, e ele, roupas em estilo afegão, como o casaco com pele de ovelha. Os hippies trouxeram amor, paz e influências do Oriente ao mundo da moda.

jainismo (religião da Índia) como nos do catolicismo, a primeira parte do casamento foi feita em uma tenda com um sacerdote indiano e a segunda parte transcorreu como uma cerimônia ocidental tradicional. Já um americano e uma chinesa fizeram uma cerimônia do chá após o casamento civil. A noiva tanto pode incorporar elementos das duas culturas em seu traje, como usar dois vestidos. Na China, é comum usar um modelo ocidental e depois um *cheongsam* (vestido chinês) vermelho. Para os mais abastados, outra solução é fazer duas festas. Os indianos que vivem no Ocidente, por exemplo, fazem a cerimônia civil em um dia, a indiana – com direito ao noivo chegando em um cavalo branco – no outro e a ocidental, com jantar e baile, no terceiro. A noiva precisará de no mínimo três vestidos. Em alguns casos, as festas são feitas em países diferentes. Quando a modelo Elizabeth Hurley casou-se com Arun Nayar, em 2007, eles fizeram uma cerimônia civil em um castelo na Inglaterra, depois voaram para Jodphur, na Índia, para seis dias de festividades (ver pp. 186-187). Hurley trocou seu Versace branco por uma série de vestidos indianos. Enquanto os jornais britânicos a criticaram e a chamaram de "*bridezilla*" (junção das palavras *bride*, noiva, e Godzilla), as publicações indianas foram mais suaves. "O casamento de Elizabeth Hurley e Arun Nayar em Jodphur introduziu entre os indianos um conceito que já está bem difundido no Ocidente: o *destination wedding*. Cavalos, caminhos feitos com pimentas vermelhas, uma festa interminável em um palácio exótico do Rajastão, o casamento teve de tudo", descreveu o *Economic Times*.

Embora os gastos aumentem, os casais ocidentais muitas vezes não resistem à tentação de prolongar a festa de casamento. Uma cerimônia muçulmana dura cinco dias, com uma série de rituais diferentes. Há 35 anos, um casamento tradicional nas grandes cidades durava apenas uma noite. Agora, há uma semana de viagens, jantares de noivado e por vezes um almoço para os convidados no dia seguinte à festa. O fato é que as festas têm ficado cada vez mais caras, assim como já o são as cerimônias indianas e muçulmanas. Que venham os seis dias de cerimônia para o Ocidente – o que, é claro, significará seis vestidos de noiva.

À esquerda

Noiva participa de cerimônia no vilarejo de Galicnik, na Macedônia, em 2007. Realizados por volta do Dia de São Pedro (ou Petrovden), os casamentos nessa região duram três dias e misturam tradições pagãs e cristãs.

Acima

Noiva paquistanesa participa de cerimônia coletiva que reuniu mais de cinquenta casais, em Lahore, 2006. Como os casamentos são muito caros, os pais se juntam para realizar diversas uniões ao mesmo tempo, no intuito de reduzir custos.

HELLO!
Nº 960 • 13 MARCH 2007 • £1.90
WORLD EXCLUSIVE
JOIN US INSIDE SUDELEY CASTLE FOR
ELIZABETH AND ARUN'S
LAVISH ENGLISH WEDDING
9 770214 388096 10
SPAIN & CANARY ISLANDS: 2,85 €. PORTUGAL (CONT.): 3 €. ITALY: 6002 LITS = 3,10 €. GREECE: 5,00 €. GERMANY: 4,90 €. FRANCE: 3,20 €. AUSTRALIA: $6.95 incl. gst. CANADA: $6.50. USA: $6.95. SOUTH AFRICA: SAR34.95
www.hellomagazine.com

HELLO!
NUMBER 961 • 20 MARCH 2007 • £1.90
WORLD EXCLUSIVE
ELIZABETH AND ARUN'S MAGNIFICENT HINDU WEDDING IN INDIA
53-PAGE ALBUM
• NON-STOP FESTIVITIES
• PALACE CRICKET MATCH
• BOLLYWOOD DANCING
• SACRED CEREMONY
• SPECTACULAR FIREWORKS
www.hellomagazine.com

Acima

Noivos jordanianos em casamento coletivo em Amã, em 2007. Uma associação de caridade islâmica do país organizou o evento, no qual 32 casais sem condições financeiras disseram "sim".

Página 186

Quando a atriz Elizabeth Hurley casou-se com Arun Nayar, em 2007, ela usou um vestido branco com inspiração vintage criado por Versace para a cerimônia civil, no Castelo de Sudeley, Inglaterra.

À direita

Modelo participa do desfile da coleção primavera/verão 2007 de Alexander McQueen, em Paris. O costureiro buscou inspiração nas mantilhas espanholas, que normalmente são presas na cabeça com um pente. Aqui, o véu de renda se apoia sobre um arranjo de flores na cabeça e se estende em volta do corpo, formando um delicado casaco.

Página 187

Na versão de noiva indiana, Elizabeth Hurley usou um sári rosa também assinado por Versace. O casal fez uma cerimônia tradicional de seis dias em Jodpur, Índia, em 2007.

À esquerda

A socialite Jemima Goldsmith casa-se com o ex-astro da seleção paquistanesa de críquete Imran Khan, numa cerimônia civil em Richmond, Londres, em 1995. O casal também realizou uma pequena cerimônia islâmica em Paris – para isso, ela se converteu ao islamismo. O traje desenhado por Bruce Oldfield é composto de um vestido longo de seda de corte enviesado e um casaquinho.

Acima

O rei Hussein, da Jordânia, posa ao lado da esposa, a americana Lisa Halaby, no palácio real, em 1978. Halaby também se converteu ao islamismo antes de unir-se ao marido, mudando de nome para Noor. O vestido branco longo e simples, de crepe, com mangas boca de sino, foi desenhado pela grife Dior.

À direita

Um casal deixa a cerimônia em Pyongyang, na Coreia do Norte, em 2002, depois de pagar tributo à estátua do líder Kim Il Sung. Tradicionalmente, o vestido da mulher é composto pelo *chogori*, um casaquinho preso ao corpo com fitas, e pelo *chima*, uma saia longa também amarrada no corpo. A faixa branca e uma grinalda de flores na cabeça completam o visual.

Acima

O príncipe Hamzah da Jordânia e a princesa Noor andam de braços dados na cerimônia de casamento em Amã, em 2004. Eles haviam se casado no cartório no ano anterior.

À esquerda

Em desfile na cidade de Ahmedabad, Índia, em 2006, uma modelo indiana exibe vestido de casamento criado pelo estilista Bharat Singer. A exuberância do vestido vermelho, que deixa a barriga à mostra, faz o vestido branco ocidental parecer sem graça.

Acima

O casamento da filha de um dos homens mais ricos do mundo, o monarca de Brunei, contou com disparo de canhões e muitos brilhantes e pedras preciosas. Na foto, a princesa Majeedah Nuurul Bulqiah e seu noivo, Pengiran Khairul Khalil, participam do início da cerimônia, no Palácio de Nurul Iman, Brunei, em 2007. Seu buquê é feito de florezinhas de ouro branco cravejadas de brilhantes.

À esquerda

Modelo exibe vestido de noiva durante desfile do estilista japonês Yumi Katsura, na província de Sichuan, China, em 2006.

Acima

Sua Alteza Imperial, o príncipe Akishino do Japão (conhecido como príncipe Aya) e sua nova esposa, a princesa Akishino Kiko, casam-se usando roupas tradicionais japonesas, em 1990, em Tóquio.

À esquerda

A modelo Jerry Hall se prepara para o casamento com o rolling stone Mick Jagger, em Bali, 1990. Ela optou por um traje tradicional local.

Acima

Notável pela beleza, a imperatriz chinesa Wan Jung é fotografada durante seu casamento em 1922 com Pu-Yi. Então com 17 anos, o noivo ficou conhecido como o último imperador chinês. Ele escolheu Wan Jung após vê-la em uma foto.

Acima

A estrela de cinema Loretta Young interpreta uma herdeira no filme *Café Metrópole*, de 1937. Ela usa um véu de renda, que serve como capa ao mesmo tempo.

À direita

A noiva Tazuko Kojima usa um vestido japonês tradicional, em Kyoto, Japão, em 1989. A cabeça coberta pela peça branca serve para espantar o ciúme, simbolizando que ela será uma esposa obediente.

À esquerda

Elizabeth Hurley usa modelo da grife Dior em evento no Museu Victoria & Albert, em Londres, em 2007. A assimetria da parte de cima do vestido, desenhado por John Galliano, faz referência ao sári indiano.

Acima

O cantor pop e ator Adam Faith ao lado da noiva, a bailarina Jackie Irving, em um cartório de Londres, em 1967. Muitos estilistas usaram as djelabas como inspiração para casacos e vestidos nas décadas de 1960 e 1970.

O RITUAL

Tradicionalmente, o casamento é um rito de passagem em que a mulher deixa de ter como papel principal o de filha, passando a desempenhar o de esposa. Simboliza o direito de criar uma família e a transição da virgem para a mulher adulta. No passado, era um ritual importante para as mulheres, que passavam a ser vistas com mais respeito na comunidade e adquiriam status. Historicamente, o casamento foi por muito tempo fruto do acordo financeiro entre duas famílias. Hoje, no Ocidente, é fruto da paixão de duas pessoas que geralmente não são mais virgens. As tradições matrimoniais, que se popularizaram bem antes da emancipação feminina, costumavam colocar a noiva em estereótipos, como a de virgem ou a de propriedade do marido. Essas tradições persistem ainda hoje, mas de maneira diferente, já que muitos desses rituais são vistos como fora de moda. Outros rituais ganham vida, como o de vários padrinhos e madrinhas fazendo discursos ou o de noivas asiáticas adotando o vestido branco. Ou seja, as tradições matrimoniais estão em constante mudança.

O noivado sela um acordo e se encaixa na tradição materialista. A aliança de brilhantes representa a ideia de comprar a noiva, já que os casamentos eram fruto dos negócios entre duas famílias. Ainda hoje, tem-se a ideia de que o anel de noivado deve custar ao noivo um ou dois meses de salário. Na Idade Média, a doação que o homem tinha de realizar para obter a mão da futura mulher incluía pedras preciosas, e o anel era visto como um objeto que a esposa poderia vender se ficasse viúva.

Em muitas culturas, as famílias dos noivos trocavam bens ou dinheiro. No Ocidente, a família da noiva costuma pagar a cerimônia. Na Europa, até o final do século 19, os pais do noivo recebiam um dote em forma de bens, dinheiro ou objetos valiosos. Como retribuição, o noivo pagava um preço pela noiva e comprometia-se a sustentá-la. Em algumas comunidades africanas, antes de a união ser acordada, o homem oferecia um bom preço pela mulher, em animais, dinheiro e conchas. Os hindus também mantêm viva a prática do dote; em muitos outros lugares, porém, esse costume foi banido. Na Índia, em casos extremos, quando os pais não têm condições financeiras de pagar o dote da filha, eles chegam a cometer infanticídio; em outros casos, quando a família do noivo julga o dote insuficiente, a noiva é queimada viva.

À direita

Em 1972, María del Carmen Martínez-Bordiú y Franco, neta do general Franco, une-se a dom Alfonso, duque de Anjou e Cádiz, neto do rei Alfonso XIII da Espanha. O general está na extremidade esquerda da foto. A cerimônia ocorreu na capela do Palácio do Prado.

À esquerda

Um casal boia em uma piscina com ondas nas Bermudas. À medida que as cerimônias de casamento perdem o caráter religioso, tem aumentado a demanda por casamentos em locais inusitados.

Geralmente esperava-se da noiva que ela casasse física e espiritualmente pura – virgem, com corpo e mente limpos. E o ritual de purificação ainda é importante. A noiva ocidental pode passar o dia todo no salão, enquanto a noiva judia tomará um banho *mikveh* e a muçulmana da Índia passará cúrcuma em todo o corpo antes de se banhar. Mais extremo é o caso das mulheres gewis, em Botsuana, que jejuam por quatro dias em silêncio e, antes da cerimônia, têm os cabelos raspados pelos mais velhos da comunidade. Há ainda a assustadora circuncisão feminina, que ocorre em algumas partes do continente africano e é vista como um rito de passagem para a vida adulta; seus praticantes acreditam que só assim a mulher fica pronta para casar. O véu, por sua vez, costumava ser visto como uma maneira de proteger a noiva do mau-olhado, além de simbolizar virgindade. As noivas paquistanesas e indianas pintam as mãos e os pés com hena. No casamento cristão, o noivo ergue o véu da noiva, enquanto no judaico o noivo o coloca sobre o rosto da mulher, em alusão aos cuidados que ele terá com a esposa.

As roupas também simbolizam a troca entre as famílias. A noiva hindu chega à cerimônia em roupas compradas pelos pais e vai embora com um sári dado pelo marido, simbolizando a transmissão da responsabilidade financeira. Em partes da Somália, realiza-se um ritual de beleza, geralmente pago pelo futuro marido, em que um dente da mulher é lixado. No Japão, a noiva troca de roupa até cinco vezes durante a cerimônia: o quimono branco simboliza morte na casa dos pais e renascimento na casa do parceiro, e as roupas coloridas representam aceitação por parte da família do noivo. Rituais de troca entre os noivos também existem. Os hindus trocam guirlandas de flores; em cerimônias cristãs e ortodoxas, assim como nas civis, há a famosa troca de alianças; os romanos trocavam faixas de ferro para simbolizar a união – e também a posse do homem sobre a mulher.

Alguns rituais ao fim da cerimônia recordam o passado. Os americanos descendentes de africanos muitas vezes pulam sobre o noivo, reproduzindo uma brincadeira feita em comunidades de escravos que eram proibidos de se casar legalmente. Na cerimônia judaica, o noivo pisa em uma taça para lembrar a destruição dos templos. Há ainda rituais que simbolizam a fertilidade, como a velha tradição de jogar trigo nos noivos. Na Idade Média, os convidados jogavam pedacinhos de bolo, talvez antecipando a presença dos enormes bolos que passaram a ser feitos. Os muçulmanos jogam moedas na noiva; os mexicanos jogam contas vermelhas. E soltar borboletas vivas em vez de jogar arroz ou confete parece ser a última tendência.

A noite de núpcias era o momento em que a noiva perderia a virgindade, e as tradições matrimoniais celebram esse fato. Jogar o buquê de flores para trás é uma tradição inglesa: enquanto os convidados tentavam rasgar um pedacinho do vestido ou pegar as flores como lembrança, a noiva jogava o buquê para distraí-los. Na França, joga-se uma cinta-liga. Em poucas culturas ainda se exibe o lençol manchado de sangue na manhã seguinte, como prova de que a noiva perdeu a virgindade. As noivas das ilhas Marquesas, na Polinésia, tinham de fazer sexo com todos os convidados homens do casamento, ficando o noivo por último. Essa tradição antiga ficou para trás há algum tempo.

Casamentos arranjados ainda ocorrem na Ásia, no Oriente Médio e na África; já em países como o Japão, algumas uniões são acertadas pela internet. Há, porém, o lado negro dos casamentos combinados: as uniões ilegais feitas com crianças no Egito, Afeganistão, Etiópia, Bangladesh, Paquistão, Índia e Oriente Médio, comuns em comunidades rurais, onde as meninas se casam com 11 anos ou menos. Há ainda o violento costume do sequestro de noivas, em regiões da Ásia central: com a ajuda da família, o noivo captura uma noiva em potencial. Há todo um estigma social negativo para as que dizem não, e elas podem ser mantidas como reféns por vários dias. Embora seja ilegal no Quirguistão, raramente esses homens vão presos. Na Etiópia e em Ruanda, as mulheres são sequestradas e estupradas, com a intenção de que engravidem para que ninguém mais queira se casar com elas. A expressão lua de mel aparentemente tem origem no sequestro de noivas, fazendo referência ao período em que o homem mantinha a mulher presa por um ciclo lunar inteiro, com o objetivo de engravidá-la. Essa é, certamente, uma tradição que não faz falta nenhuma nos casamentos atuais.

À direita

Stevie Wonder abraça sua noiva Syreeta Wright, cantora e compositora da Motown, após a cerimônia na Igreja Batista Bernette, em Detroit, em 1970.

À esquerda

Um noivo coloca a aliança no dedo da noiva, em casamento dos anos 1950. Em muitas religiões, como a judaica, a cristã e a russa ortodoxa, assim como em cerimônias civis, os noivos trocam alianças.

Acima

Um anel é colocado no dedo da noiva em casamento hindu realizado em 1997. As noivas indianas geralmente usam diversas joias de ouro, entre as quais dois colares – um chamado *mangalsutra*, de contas negras, e outro chamado *thaali*, com um pingente dourado no centro –, um anel no dedo do pé – o *bichhua* – e muitas pulseiras.

À esquerda

Hadas Hanun e Joseph Hanun casam-se em uma cerimônia judaica na comunidade de Neve Dekalim, na Faixa de Gaza, em 2005. Acima deles, vê-se a *huppah*, tenda tradicional de casamentos judaicos.

À direita

A rainha Elizabeth e o duque de Edimburgo recebem a bênção do arcebispo de Canterbury, o lorde Fisher, em Londres, em 1947. Norman Hartnell desenhou o vestido. O longo véu de tule era preso à cabeça por uma tiara de brilhantes.

À esquerda

A modelo brasileira Isabeli Fontana é conduzida pelo pai até o noivo, o ator Henri Castelli, em um casamento na praia, no Rio de Janeiro, em 2005. A pedido dos noivos, os 700 convidados usaram trajes brancos. Na parte de trás, o vestido tinha um fecho igual ao de um biquíni; nos pés, no lugar de sandálias, uma sapatilha de tecido.

Acima

Zinzi Mandela se casa em Johannesburgo, África do Sul, em 1992. Na foto ela aparece ao lado do pai, Nelson Mandela.

À esquerda

Elsie Gosling e seu novo marido, o presidente do Clube de Ciclistas Solon, caminham após a cerimônia de casamento sob um arco feito de rodas de bicicleta seguradas pelos amigos do clube, em Londres, em 1936.

Acima

Os noivos entram por um círculo de violetas na Califórnia, em 1947. O arranjo que a noiva usa na cabeça lembra o círculo de flores. As madrinhas usaram véus e buquês para combinar com a noiva.

À esquerda, no alto

Esta procissão de noivos contou com 122 casais, a maioria membros das forças armadas, que foram liberados pelas autoridades nazistas para se casar, em 1938.

À esquerda, no centro

Noivas formam fila em cerimônia coletiva na Jamaica, em 1950.

À esquerda, embaixo

Uma procissão de casamento cruza as ruas de Mont-près-Chambord, França, em dezembro de 1948.

À direita

O príncipe Juan Carlos da Espanha e a princesa Sofia da Grécia posam para foto com os convidados na escadaria do palácio real, em Atenas, em 1962, após a cerimônia de casamento.

Acima

A russa Olga Rostropovich se casa com Olaf Guerrand-Hermes em uma grande cerimônia em 1991, em Paris, oficializada pelo então presidente francês Jacques Chirac.

À direita

Napoleão I casa-se com Maria Luísa de Habsburgo-Lorena, em 1810. Para o casamento na igreja, ela usou um vestido reto de musselina estilo regência.

VIRGEM, MULHER FATAL, MÃE, ESPOSA

As mulheres conquistaram liberdade. Podem tomar pílula, fazer sexo sem compromisso e ganhar mais que o marido, mas ainda assim são levadas pelo pai ao altar, usando um vestido branco. Depois, podem se divorciar e casar de novo. Virgem? Mulher fatal? Mãe? Esposa? Vivendo junto com o namorado? Divorciada? Viúva? A mulher pode experimentar muitos desses papéis antes mesmo dos 30 anos, e não necessariamente nessa ordem. Ela pode ser uma noiva grávida, uma noiva lésbica ou uma noiva lésbica e grávida. Ou ainda contar com a presença dos filhos na cerimônia. Há um abismo entre a adolescente asiática, com seu casamento arranjado, e a mulher ocidental que aos 30 anos se casa com o homem com quem vive há quatro anos.

No Ocidente, o ritual do casamento não significa mais, na maioria dos casos, a passagem de virgem para mãe e esposa. Então, será que o vestido branco, indicador de pureza e virgindade, ainda faz algum sentido? Em 1975, as mulheres inglesas se casavam aos 19 anos, em média. Em 2007, essa média subiu para 28 anos. As mulheres agora têm o poder de escolha que antes era sufocado. Mais experientes hoje, elas podem desprezar o estereótipo da noiva virgem. Mas há diferenças entre aquilo que uma noiva quer usar e o que se espera que ela use. Já que os casamentos não são mais uniões de famílias, a expectativa das pessoas pelo vestido branco é muitas vezes deixada de lado em nome de um desejo individual. E, apesar da independência feminina, o dia do casamento é um dos poucos em que a mulher aceita se vestir para seu noivo e para os outros. A indústria dos vestidos se aproveita disso e dá inúmeras dicas de como escolher o traje perfeito para satisfazer os olhos do parceiro. Muitas vezes, escolhem estilos que não têm quase nada a ver com o que adotam no dia a dia, o que pode ser resultado da pressão que sofrem para ser a mulher mais bela da festa.

Mas o tradicional vestido branco às vezes não é o que a mulher deseja, principalmente se esta já é sua terceira ou quarta união. Na década de 1970, ficou mais fácil se divorciar, o que levou a um aumento de segundas uniões. Há algumas regras imprecisas sobre o que é socialmente aceito – um véu mais curto, que não cubra todo o rosto, um chapéu ou um arranjo de flores. A jornalista americana Helen Rowland brincou: "A noiva que está em seu segundo casamento não quer usar véu, ela quer é ver exatamente onde está se metendo". Vestidos longos também não são esperados; eles podem ser *off-white* ou coloridos. Mesmo assim, um vestido

À direita

A senhora Wallis Simpson, americana e divorciada, casa-se com o duque de Windsor, na França, em 1937. Ele havia abdicado de se tornar o rei Eduardo VIII da Inglaterra para que pudesse unir-se a ela. O estilista francês Mainbocher criou um vestido de crepe azul, e logo outras mulheres começaram a pedir seus vestidos em "azul Wallis".

À esquerda

A modelo Kirsten McMenamy ao lado de seu novo marido, o fotógrafo Miles Aldridge, da *Vogue*, e a top Naomi Campbell, na cerimônia de casamento em Londres, em 1997. Com cinco meses de gravidez, Kirsten usa um vestido de chiffon assinado por Karl Lagerfeld.

branco é perfeitamente aceito, desde que a noiva se sinta confortável com ele. Não há regras. Pode ser a chance de a mulher mostrar seu senso de individualidade, ou seja, de como passou de alguém que apenas interpretava um papel no seu primeiro casamento de conto de fadas a uma pessoa mais verdadeira e que faz suas escolhas conscientemente. Além do mais, é ótimo comprar um fantástico vestido de gala ou um terno que possam ser usados depois; uma escolha madura, em vez de uma escolha "definitiva".

Coco Chanel sentenciou cruelmente: "Não existe moda para os velhos". Mas há uma grande diferença entre os vestidos que uma mulher de 55 anos e outra de 20 devem escolher. Um vestido longo e um chapéu são uma opção segura de elegância e feminilidade. Um vestido longuette de corte simples pode ser muito charmoso. Há casaquinhos para o inverno e boleros e jaquetas para a meia-estação, que cobrem os braços e o colo. Camilla Parker Bowles acertou em cheio ao se casar com o príncipe Charles, em 2005 (ver p. 238): sofisticada, mas adequada, e bem diferente da primeira esposa do príncipe. Se no passado era importante que o vestido de noiva transmitisse a ideia de pureza e virgindade, hoje muitas mulheres querem se sentir sexy. Os tão usados tomara que caia mostram que não há mais problema em mostrar os ombros e o colo. Mas Oscar de la Renta não tem tanta certeza disso. "Há vestidos de noiva que deixam o corpo muito exposto. Sou de um país católico, e é sempre um pouco difícil [para mim] a ideia de a noiva estar seminua na igreja", disse. Outros estilistas, porém, como Badgley Mischka e Collette Dinnigan, têm investido em modelos bem sensuais. Afinal, se a noiva já não é mais virgem, para que parecer "pura" no dia do casamento?

Quando a nova legislação sobre uniões civis foi aprovada no Reino Unido, em 2004, dando os mesmos direitos dos casais heterossexuais aos homossexuais, surgiu a indústria do casamento gay. As projeções do governo de que haveria 10 mil casamentos entre pessoas do mesmo sexo em 2010 foi alcançada ainda em 2007. Mas o que duas noivas devem vestir? Algumas optam pelos tradicionais vestidos brancos, ou então por vestidos de gala. Ou uma delas usa terno. De novo, não há regras.

À esquerda

A atriz americana Barbara Bach e o ex-beatle Ringo Starr vão à cerimônia de mãos dadas com suas filhas, ambas de outros relacionamentos, em 1981. Era o segundo casamento dos dois. O vestido da noiva foi desenhado por David e Elizabeth Emanuel.

À direita

O diáfano e romântico vestido de Jean-Paul Gaultier para sua coleção primavera/verão 2001 é um exemplo da volta à simplicidade, depois dos "vestidos-merengue" da década de 1980. "Delicada", "menos agressiva" e "roupas que dão a impressão de que vão cair e mostram ocasionalmente um pedaço de pele" foram as expressões usadas por Gaultier para descrever sua coleção.

Acima

A atriz Elizabeth Taylor é fotografada dentro da limusine em 1950, em Beverly Hills, com seu novo marido Conrad "Nicky" Hilton Jr. A estilista Helen Rose, da MGM, criou o vestido de noiva em cetim branco. A tiara de pérolas combinava com os detalhes em pérola do vestido. O buquê era de orquídeas brancas. Ao longo da vida, Taylor se casou oito vezes, com sete maridos diferentes.

À direita

Como parte de uma linha de bonecas de celebridades, a Mattel lançou a boneca de Elizabeth Taylor (abaixo, à direita). A atriz é retratada no vestido de noiva usado no filme *Minha Filha Vai se Casar*. Taylor casou-se com Eddie Fisher em Las Vegas, em 1959 (abaixo, à esquerda), com Richard Burton, pela primeira vez, em 1964 (acima, à direita), e com Michael Wilding em 1952 (acima, à esquerda), usando um elegante modelo new look.

À esquerda

A top model Kate Moss incorpora uma noiva espacial em desfile da grife Versace, em 1995. Inspirada na década de 1960, a coleção era toda em branco e prata, composta de minivestidos de tecidos rígidos e muitos zíperes. Este modelo dificilmente será usado por alguma noiva no altar, mas está a um mundo de distância dos vestidos em estilo vitoriano.

Acima

Anthony Ruivivar (Carlos) e Yvonne Jung (Holly) gravam episódio do seriado *Parceiros da Vida*, em 2005. Os dois atores são casados na vida real. O vestido escolhido mostra como os modelos que deixam braços e ombros à mostra não são mais um tabu.

Acima

Russel Firestone e a esposa, ambos socialites, falam com uma garotinha em um triciclo depois de se casar na Igreja Riverside, em Nova York, em 1965. O vestido curto com casaquinho e a casquete com véu são uma boa escolha para a noiva que esteja em seu segundo casamento ou para aquelas que desejem um visual mais sóbrio.

À direita

Elegante e sorridente, a atriz americana Jennifer O'Neill, nascida no Rio de Janeiro, ao lado do marido Joseph Koster, depois do casamento em Nova York, nos anos 1970. Ela se casou e se separou nove vezes ao longo da vida.

À esquerda

Camilla, duquesa da Cornualha, acerta na escolha em seu casamento com o príncipe Charles, em 2005, na Inglaterra. A roupa é bastante adequada para uma pessoa da sua idade e posição social. Philip Treacy desenhou o chapéu, com penas de ouro e cravejado de cristais Swarovski; o vestido e a capa foram desenhados por Robinson Valentine. Foi o segundo casamento dos dois.

Acima

A condessa Spencer, madrasta da princesa Diana, casa-se com Jean-François de Chambrun, em 1993, aos 63 anos. Assinado por Emanuel Ungaro, o vestido floral foi uma escolha ousada para uma noiva mais velha. Com o véu cor de cereja, o conjunto fica alegre, vibrante e um pouco excêntrico.

À esquerda

Um casamento lésbico. O que duas noivas devem vestir no dia do casamento? Se não quiserem usar ternos com calça, dois lindos vestidos brancos estilo "deusa" são uma solução estilosa.

À direita

O comediante Matt Lucas e Kevin McGee uniram-se em cerimônia civil, em 2006, na qual ambos usaram ternos. Depois, na festa, eles optaram por fantasias: um de Aladim e outro de Príncipe Encantado.

Página 240

O cantor americano Frank Sinatra posa ao lado da esposa, a estrela do cinema Ava Gardner, durante a cerimônia de casamento, em 1951.

Página 241

A atriz Felicia Farr beija seu novo marido, Jack Lemmon, em 1962, após cerimônia em Paris. Seu vestido de renda com decote em V e sem mangas é delicado, assim como o véu que cobre o rosto e os cabelos como uma teia de aranha tecida cuidadosamente.

Acima

Viúva e noiva. A senhora Jean Gibbs, viúva do capitão Vicary Gibbs, casa-se com Andrew Elphinstone, sobrinho da rainha Elizabeth. A noiva foi dama de honra da princesa Elizabeth, que se tornaria a rainha Elizabeth II.

À direita

Usando um véu incomum, dividido em várias partes, Wallis Warfield posa para a câmera no dia de seu primeiro casamento, em 1916. O terceiro marido de Wallis foi o príncipe Eduardo, duque de Windsor.

À esquerda

A popstar Kylie Minogue diverte-se com os fotógrafos durante o desfile da coleção outono/inverno 2007 de John Galliano, na Semana de Moda de Paris. Uma noiva que queira uma opção mais simples e sexy pode optar por um tomara que caia curto, como este. Os detalhes da parte de cima do vestido ajudam a realçar o busto.

À direita

Davinia Taylor usa um vestido longo do estilista Ben de Lisi, em 2004. Feito de crepe e coberto com 300 pérolas, foi desenhado para o prêmio Bafta, o Oscar inglês, mas poderia perfeitamente ser usado por uma noiva.

A atriz e socialite húngara Zsa Zsa Gabor casou-se nove vezes. Seu primeiro marido foi Burhan Belge, com quem se uniu em 1937 (acima, à esquerda). O casamento com George Sanders (página ao lado), em Las Vegas, em 1949, foi o terceiro. O seguinte foi com Herbert Hutner (acima, à direita), em Nova York, em 1962. Quatro anos depois ela se casou com o quinto marido, Joshua Cosden (no topo, à direita). A sexta união foi com Jack Ryan (no topo, à esquerda); eles se casaram no Caesar's Palace, em Las Vegas, em 1975, mas se divorciaram no ano seguinte.

À esquerda

Noiva de biquíni. Pamela Anderson, a estrela da série *SOS Malibu*, casa-se com o cantor Kid Rock em um iate em Saint-Tropez. Ela usou três modelos diferentes: um biquíni rosa com calças justas, um vestido de renda com véu e grinalda e, por fim, o biquíni branco. Em 2007, ela se casou novamente com Rick Salomon e usou um minivestido de denim cor creme, assinado por Valentino.

À direita

A atriz Terri J. Vaughn faz o papel de noiva em um episódio da série *Elas e Eu*, em 2004. O vestido sexy, com um tecido rendado sob a fenda, é acompanhado pelo tradicional conjunto de brinco e colar de pérolas.

CORES

Quando a popstar Gwen Stefani apareceu com um vestido com cauda em degradê em tons de rosa, a escolha pareceu certamente mais apropriada e bonita que um traje todo branco. Ainda que a virgindade simbolizada pelo branco não seja mais um requisito para as noivas, a cor continua sendo a escolha número um para o dia do casamento, principalmente em cerimônias judias e cristãs. "*Married in white, you have chosen right*" ["Se você se casa de branco, fez a escolha certa"], diz o ditado inglês. O branco é a cor dos anjos, a combinação de todas as cores do espectro. É luminoso e ideal para noivas que queiram se destacar.

Mas um toque de cor, como sapatos coloridos, pode ser dado ao branco. A maior vendedora de artigos para noivas dos Estados Unidos, a loja David's Bridal, oferece vestidos brancos bordados e enfeitados em outras cores. Nas décadas de 1960 e 1970, usavam-se forros em tons de rosa e verde florescente. Nos anos 1980, o estilista David Fielden criou peças brancas com flores coloridas, e Yves Saint Laurent chocou a todos com um vestido cor de berinjela, quase preto. Em 2005, a pin-up Dita von Teese, noiva de Marilyn Manson, usou um vestido de gala roxo criado por Vivienne Westwood (ver p. 261) – a cor por si só deu sofisticação ao traje, que não teria o mesmo efeito se fosse branco.

Com o aumento de cerimônias não religiosas e multiculturais, assim como de segundos casamentos, o branco parece aos poucos deixar de reinar absoluto. Para uma festa à noite depois do casamento civil, as noivas podem preferir um vestido azul-marinho, com um casaquinho para a cerimônia. Ou podem escolher um vestido com uma estampa em espiral, como os da Pucci. Pelo menos elas poderão usar o traje em outras ocasiões. Para que fingir ser uma noiva virgem e pura se não você não é? Outras opções além do branco podem ser ótimas.

Embora no Ocidente o branco represente pureza e virgindade, ele é associado à morte em outras culturas. É a cor usada nos funerais hindus, por exemplo; até mulheres da Inglaterra do século 19 usavam vestidos brancos com véus quando estavam de luto. Mas a história das noivas de branco remonta à Grécia antiga, quando a cor simbolizava alegria e pureza; na Idade Média, algumas noivas usavam branco para indicar virgindade. A rainha Vitória da Inglaterra quebrou a tradição real ao se casar de branco, em vez do

À direita

A estrela pop Gwen Stefani beija o noivo, o cantor de rock Gavin Rossdale, em Londres, em 2002. O vestido da Dior, assinado por John Galliano, tem uma cauda com degradê em tons de rosa; o véu é de tule com apliques de renda chantilly.

À esquerda

Um trio de artistas posa atrás da modelo indiana Sudipa, numa instalação em forma de flor de lótus, em Ahmedabad, Índia, em 2006. Seu traje é um vibrante *lehenga tcholi*; as noivas indianas também costumam usar sáris e *salwar kamiz* (conjuntos de túnica e calça larga).

tradicional prata, em 1840, transformando a cor na escolha mais certeira para aquelas que podiam pagar por um vestido. Depois, fez todo o país usar preto, ao declarar luto oficial pela morte do marido.

Somente na década de 1920 a vanguardista Coco Chanel declararia que o branco era a cor essencial para qualquer noiva, pobre ou rica. Foi Coco quem disse: "Eu me importo mais com as ruas da cidade do que com os salões de festa". Antigamente, as empregadas jamais sonhariam em usar um vestido de noiva como o de suas patroas. No século 19, elas teriam provavelmente casado de cinza ou preto. A década de 1920 democratizou os vestidos, graças a estilistas como Coco Chanel e Jean Patou, pois a tendência de modelos simples, que usavam pouco tecido, tornou-os mais acessíveis.

Até o início do século 20, era perfeitamente normal casar-se de rosa, azul ou apenas com o melhor "vestido de domingo" – a cor não indicava se a virgindade da mulher estava intacta ou não. Historicamente, o azul é vinculado à pureza. Os israelitas antigos colocavam fitas azuis nas roupas de casamento, simbolizando pureza, amor e fidelidade. Mesmo no Ocidente era recomendado que o traje de casamento tivesse algum elemento azul. Quando Wallis Simpson, divorciada, casou-se com o duque de Windsor – que abdicou do título de rei Eduardo VIII para se unir a Wallis, em 1937, causando escândalo –, ela optou por um elegante vestido azul-acinzentado feito por Mainbocher, com um chapéu rosa e azul (ver p. 227). O traje foi copiado imediatamente.

Mas, se na década de 1920 o branco era sinal de status, na Idade Média era o oposto, já que a ordem era mandar fazer o vestido com os tecidos mais caros – em tons de vermelho, roxo ou preto –, como sinal de prosperidade. As princesas se casavam em longos vestidos de veludo, seda, cetim e tecidos adamascados adornados com peles, ouro, rubis e brilhantes. Mas o luxo tinha uma razão de ser. Os casamentos reais uniam laços entre Estados – e, na cerimônia, a noiva representava os mais ricos de seu reino. Hoje, as noivas muçulmanas da Ásia escolhem modelos em cores vivas, com muitos bordados, como a *lehenga* (blusa com saia longa) ou o *salwar kamiz* (túnica sobre calça larga). Elas adornam o corpo com joias, flores e tatuagens de hena. No Japão, em cerimônias xintoístas, noivas de famílias ricas trocam o quimono branco – o *shiromuku* – por um traje colorido e chamativo, depois vestem um modelo ocidental e, finalmente, um vestido de gala para a recepção. Às vezes, ainda utilizam um quimono de mangas longas – o *furisode*.

A cor também pode ser um indicativo de classe social. O branco era normalmente associado às classes mais abastadas, já que suja facilmente e era caro mantê-lo sempre bonito. Na Coreia, durante a dinastia Chosun, as rainhas usavam vermelho ou amarelo; princesas e integrantes da nobreza usavam verde folheado a ouro; as outras mulheres só podiam usar verde, tanto em casamentos como em funerais.

"*Married in red, you'll wish yourself dead*" ["Vestido vermelho, desejo de morte"], diz outro ditado inglês. Na era vitoriana, o vermelho era associado à prostituição. Já no Oriente, as conotações são bem distintas. Os chineses acreditam que a cor traz sorte, força, felicidade e perseverança, além de afastar os maus espíritos. Hoje, as noivas chinesas usam vestidos vermelhos com detalhes em dourado ou prateado, ainda que algumas mulheres optem pelo vestido branco ocidental. O casamento hindu tradicional também não tem nada de sóbrio; as noivas costumam usar um sári vermelho enfeitado com joias de ouro e arranjos de flores. No norte do país, o vermelho também é a cor tradicional, ao lado do verde, que simboliza fertilidade. Já no sul as mulheres usam branco ou creme. No Ocidente, o verde costumava ser visto como a cor das fadas, o que pode trazer tanto boa como má sorte.

Para muitas noivas, o preto é o maior dos tabus, por simbolizar o luto na cultura ocidental. Isso não impediu Oscar de la Renta de desenhar um lindo vestido de casamento negro. Em *A Dedicated Follower of Fashion* ["Devoto da moda"], Holly Brubach escreveu: "Se a cerimônia de casamento refletisse todas as ambiguidades da vida de casado, a noiva deveria usar cinza".

À direita

Lá vem a noiva! A top model Laetitia Casta desfila para Yves Saint Laurent para a coleção outono/inverno 1999-2000, em Paris. Enquanto a realeza sempre valorizou as tiaras, as camponesas optavam por arranjos de flores ou trigo nos cabelos. Aqui, o buquê em estilo campestre é o acessório correto para a saia e a blusa no mesmo estilo.

YSL

À esquerda

Em sua coleção primavera/verão 1999, Oscar de la Renta exibiu um inusitado vestido de noiva preto. Um modelo como esse pode ter um efeito extravagante se usado na festa depois da cerimônia. Mas a cor ainda é um tabu, pois remete ao luto. Um véu ou cauda negros aliados a um vestido branco podem compor uma opção bastante estilosa, provocativa e menos óbvia.

À direita

A pin-up Dita von Teese certamente soube atrair as atenções em seu casamento com o cantor Marilyn Manson, em 2005. Seu vestido, desenhado por Vivienne Westwood, era de tafetá *changeant* (furta-cor) violeta e consumiu 17 metros de tecido. A casquete foi criada por Stephen Jones, e os sapatos, por Christian Louboutin.

Acima

Algo azul. A atriz Debbie Reynolds e o marido, Harry Karl, durante a cerimônia de casamento. No Ocidente, o azul simboliza pureza e já foi mais importante que o branco em determinadas épocas.

À direita

A atriz Elizabeth Taylor se casa com Richard Burton, em 1964. O vestido amarelo, estilo império, e as flores no cabelo dão um visual natural e delicado. Na Roma antiga, as noivas usavam vestidos brancos longos com um véu amarelo flamejante – o flâmeo – e, às vezes, sapatos da mesma cor para combinar.

VAN

Firestone

À esquerda

Audrey Hepburn posa ao lado do novo marido, o psiquiatra Andrea Dotti, em 1969. O minivestido em rosa-claro lembra a estética espacial da década de 1960 de André Courrèges, caracterizada por desenhos angulosos. Chapéus e lenços eram usados pelas mulheres da moda como alternativas ao véu e à grinalda.

Página 264

A estrela Gwyneth Paltrow em visual clássico e glamouroso com o vestido de mangas curtas e pequena cauda feito por Zac Posen, em Los Angeles, em 2007. Trata-se de uma boa referência para a noiva que fará uma festa noturna e não quer usar branco.

Acima

O noivo conduz a noiva de bicicleta pelas ruas de Paris. No início do século 20, o vestido branco ainda era prerrogativa dos ricos. Todas se casavam com sua melhor "roupa de domingo", normalmente cinza ou preto.

Página 265

A atriz Liv Tyler e o marido Royston Langdon dirigem-se para a festa após a cerimônia, em Nova York, em 2003. A faixa bordada abaixo do busto e os sapatos rosa – combinando com a gravata do noivo – dão um toque de irreverência ao vestido romântico estilo império.

Acima

A modelo americana Zofia Borucka casa-se com o ator francês Jean Reno, em Les Baux de Provence, França, em 2006. O vestido amarelo-claro contrasta com a pele morena e deixa o look feminino. O modelo se inspira nos desenhos feitos por Madeleine Vionnet na década de 1920.

À direita

Kerry Washington chega ao Festival de Cannes, em 2007. Como acessório para seu vestido de gaze de seda assinado por Jean-Paul Gaultier, ela usou um colar Bulgari e uma bolsa Swarovski. Um modelo como esse pode satisfazer a noiva que deseje algo romântico, mas não queira optar pelo branco.

VENICE LIDO RESORT

À esquerda

A atriz Keira Knightley chega à estreia do filme *Desejo e Reparação*, em 2007. Bastante feminino, o tomara que caia – aqui com uma faixa rosa – é muito usado por noivas em casamentos informais durante o dia. A faixa colorida é moderna e funciona como uma forma de quebrar o branco do traje.

Acima

A atriz Romy Schneider escolheu um modelo floral estilo império para se casar com Daniel Biasini, em Berlim, em 1975. A guirlanda de flores nos cabelos dá um ar angelical. Esse vestido leve e esvoaçante, de mangas compridas com babados, tornou-se uma tendência dos anos 1970, contrastando com os cortes geométricos dos minivestidos da década anterior.

À esquerda

Depois de uma cerimônia de três dias, Abhishek Bachchan e Aishwarya Rai, astros de Bollywood, tocam uma estátua de ouro em um templo na Índia. Ele usa um *kurta pyjama* branco, e Rai veste um opulento sári vermelho.

Acima

Os acessórios para a cabeça e os bordados na parte superior dos trajes se destacam neste casamento muçulmano típico em Banda Aceh, na Indonésia. A tradição manda que o noivo e a noiva vistam-se com igual atenção aos detalhes.

O DETALHE É TUDO

Assim como com qualquer traje, acessórios e detalhes podem transformar um vestido de noiva – para o bem e para o mal. A lingerie certa pode revolucionar a postura e a atitude, assim como o véu errado pode estragar um vestido elegante. As tendências para os acessórios, de toucas de renda a flores de cera, variam muito, mas o essencial é que esses detalhes embelezem os vestidos e, é claro, a mulher que os utiliza. De acordo com a tradição ocidental, a noiva deve ter no traje algo antigo, algo novo, algo emprestado e algo azul. Esses elementos trazem, respectivamente, continuidade e tradição, esperança e novos caminhos, apoio dos amigos e fidelidade. O elemento antigo poderia ser um vestido vintage ou uma renda de alguém da família usada como véu; já o azul poderia ser uma ótima desculpa para dar um pouquinho de cor ao vestido branco: um sapato, uma faixa ou uma fileira de botões nas costas. Que tal um véu e grinalda em azul-bebê bem kitsch?

"Harriet adotou um visual modesto pela primeira vez na vida, com um longo véu de renda francesa", declarou Elizabeth Fremantle (Wynne, de nascimento) em *The Journals of Elizabeth Fremantle* ["Os diários de Elizabeth Fremantle"], em 1950, referindo-se a sua irmã. O véu é um acessório fundamental do vestido de noiva tradicional. No Ocidente, ele normalmente é branco; na China, vermelho. Na Roma antiga, era dourado e podia ser usado como manto fúnebre. Acreditava-se que afastava os maus espíritos e, em casamentos arranjados, ajudava a noiva a se proteger do olhar curioso do futuro marido. O véu ainda faz as vezes de um cabelo longo, além de ser visto como símbolo de castidade.

Mas como a noiva deve escolher o véu adequado? A primeira decisão a tomar diz respeito ao comprimento; a segunda, ao estilo. Uma regra básica determina que, quanto mais curto for o vestido, mais longo deve ser o véu. Um véu curto deixa à mostra a parte de trás do vestido, e um longo deixará o traje mais extravagante. Escolhido o comprimento, é hora de decidir o estilo. Mantilha? Palha de seda? Geralmente, os de tule ou renda são os mais usados, porém um véu de seda pode ser ainda mais interessante, como o que Armani Privé exibiu em um desfile em Paris, em 2007, combinando com o vestido. Mas, se você achar que usar véu é um anacronismo, deixe-o de lado. Ele só voltou à moda em cerca de 1860 – e, durante o século 20, as noivas combinaram o véu com elementos diversos. Provavelmente, a escolha mais estilosa foi a de Bianca Jagger, que usou um chapéu de abas largas sobre um véu de gaze, em 1971, ao casar-se com Mick Jagger em Saint-Tropez.

À direita

A top brasileira Isabeli Fontana casa-se com o ator Henri Castelli em uma cerimônia de fim de tarde na praia, em 2005, no Rio de Janeiro. O minivestido de musselina feito pela Versace é pouco convencional, com saia curta e cauda longa; nas costas, dando um toque de ousadia, ele imitava um biquíni. Os cristais Swarovski bordados no tecido dão glamour ao visual praiano, e a guirlanda de flores nos cabelos longos e soltos dá um look natural e despretensioso, adequado à cerimônia.

À esquerda

Diante de um batalhão de fotógrafos e jornalistas de celebridades, o agente de atores Pasquale "Pat" DiCicco e sua noiva, Gloria Vanderbilt, deixam a capela da Missão de Santa Bárbara, na Califórnia, após o casamento, em 1941. A noiva tinha apenas 17 anos.

Uma vez definido o véu, como será a grinalda? De flores ou brilhantes? Renda ou pérolas? Ou o véu será preso apenas por um grampo de cabelo escondido? Certamente, a opção mais romântica é um arranjo de flores ou ervas. Alecrim e murta, símbolos de fertilidade, eram muito usados antigamente. Mas, enquanto as mulheres do campo costumavam usar flores silvestres, folhas ou trigo, a realeza adornava a cabeça com tiaras e coroas de pedras preciosas. Em 1840, a rainha Vitória usou uma tiara de flores de laranjeira, em lugar da tradicional tiara de brilhantes, e lançou moda. De 1900 a 1920, a tendência eram tiaras de brilhantes, strass, cristais ou renda; os turbantes também eram usados. Nos casamentos ortodoxos do Oriente, o noivo e a noiva usam coroas tradicionais; nos judeus e cristãos, a tiara é somente uma escolha estética. Na Coreia, uma pequena guirlanda de flores, contas e pingentes é parte obrigatória do vestuário da noiva. As tiaras modernas são delicadas e cobertas com pérolas e pedras semipreciosas – em vez de imaginar a princesa Diana, pense na rainha Titânia, de *Sonho de uma Noite de Verão*.

Com um vestido branco, as joias cumprem seu papel se forem simples. Um colar discreto, um par de brincos de brilhante, uma tiara e pronto. Pérolas e brilhantes são as escolhas habituais das noivas – mas cristais, contas e até mesmo pérolas podem ficar ainda melhores bordados no vestido do que usados como brincos e colar. O vestido da rainha Elizabeth II, feito por Norman Hartnell, incluía 10 mil pérolas no bordado. Jennifer Lopes, em seu casamento em 2001, optou por um Valentino com mangas transparentes cheias de pedrinhas brilhantes. E a nova moda de colocar pedras e contas negras ou coloridas no vestido também pode dispensar a necessidade de joias.

Guirlandas de flores dão um look feminino, natural e informal e são perfeitas para casamentos ao ar livre. As flores sempre foram usadas nos casamentos, fossem as flores de laranjeira em volta das saias na época vitoriana, fosse uma linda rosa presa ao véu na década de 1960. As flores de laranjeira eram vistas como símbolo de fertilidade, uma vez que a planta produz tanto flores como frutos. O buquê de noiva já foi feito de ervas, que eram consumidas durante a festa.

"Coloquei meus sonhos sob seus pés; pise suavemente, pois você pisa em meus sonhos", escreveu W. B. Yeats no poema *Vestes do Céu*. Geralmente, os sapatos da noiva mal se veem; mesmo assim, eles são importantes para dar altura e às vezes um toque de cor. A atriz Liv Tyler usou um lindo par de sapatos rosa que se entreviam sob o vestido branco (ver p. 265). As noivas anglo-saxãs tinham o hábito de jogar os sapatos em vez do buquê para as convidadas. Em alguns lugares, os sapatos são pendurados no para-choque do carro dos noivos, para trazer boa sorte. Hoje, as noivas usam sandálias feitas por Manolo Blahnik ou Jimmy Choo, ou um modelo de Christian Louboutin com sola azul, criado especialmente para noivas. Para casamentos na praia, informais ou ao ar livre, a exigência em relação ao calçado diminui; sandálias mais simples e de salto mais baixo são as escolhas mais costumeiras.

Transformar uma mulher normal em uma noiva exuberante, com pele perfeita e maquiagem natural, leva tempo e preparação. A questão não se resolve apenas com base, rímel e batom, tanto que muitas noivas apelam para "profissionais do grande dia", que, além do rosto, às vezes também precisam se esforçar para maquiar aquela tatuagem com o nome do ex. Nos preparativos de certos casamentos asiáticos, realiza-se o *mehndi* – a aplicação de desenhos florais e geométricos de hena nas mãos e nos pés. Mais exótico é o costume do vilarejo de Donje Ljubinje, entre Kosovo e a Macedônia, onde as noivas tradicionalmente pintam o rosto de azul-claro com detalhes em dourado, para afastar a má sorte.

Os convidados da festa não vão ver a lingerie da noiva, mas o noivo certamente verá. Pode ser bom usar cinta ou outro apetrecho que modele a silhueta, mas será que uma mulher vai querer se apresentar assim ao noivo quando tirar o vestido? Hoje, há corpetes bem sexy, como os da grife Agent Provocateur, feitos especialmente para noivas. Outra grife, a Ender Legard, fabrica corpetes sensuais que também ajudam a moldar o corpo. E, é claro: uma cinta-liga costuma compor o vestuário de muitas noivas ocidentais, geralmente na cor azul.

Em algumas culturas, era comum as madrinhas se vestirem como a noiva, para confundir os maus espíritos no dia do casamento. Por vezes, as madrinhas até usavam véus iguais ao da noiva. Mas esse costume dificilmente voltará à moda. Afinal, como as noivas de hoje conseguiriam lidar com tamanha competição justamente no seu grande dia?

À direita

Modelo desfila para a coleção primavera/verão 1995 do estilista Christian Lacroix. Ao mesmo tempo em que escondem parte do braço, as mangas com renda revelam os ombros, em um interessante look de verão.

À esquerda

Modelo posa na passarela durante o desfile primavera/verão 2007 da Christian Dior. A saia com camadas delicadas, em aspecto de mil-folhas, dá um efeito bonito e diferente; em uma cor clara, poderia ser perfeitamente usado por uma noiva.

À direita

Este vestido feito por Giles Deacon foi exibido na coleção primavera/verão 2008 da Giles, na Semana de Moda de Londres. Feito de folhas de seda, é definitivamente único.

À esquerda

Valentino fez este vestido de 150 mil libras para a herdeira Marie-Chantal Miller, que se casou com o príncipe Pavlos da Grécia, em 1995. Delicadas pétalas de flores feitas de contas adornam o vestido de seda – mas a cereja do bolo é o véu. O buquê redondo parece contido demais e um pouco deslocado. Esse tipo de buquê foi bastante popular na Grã-Bretanha durante a era vitoriana, quando cada tipo de flor tinha um significado especial – os buquês chegavam a ser usados até mesmo para transmitir mensagens secretas entre amantes.

Acima

Lady Sarah Armstrong-Jones casa-se com Daniel Chatto na Igreja de Santo Estêvão de Walbrook, em Londres, em 1994. Jasper Conran desenhou o romântico vestido de seda da noiva, bem como os das madrinhas. Os modelos são pura simplicidade, mas a fileira de botões na parte de trás e as rosas dão vida ao visual.

Acima

Quando se casou com o príncipe Ali Khan, filho de Aga Khan, em 1949, a lendária atriz hollywoodiana Rita Hayworth escolheu um chapéu de abas largas em lugar do véu. Depois de ficar fora de moda por algum tempo, o véu voltou a ser usado pelas noivas na metade do século 19. Sua origem vem da ideia de que, em casamentos arranjados, o rosto da noiva não deveria ficar totalmente à mostra para o futuro marido.

À direita

Marlene Dietrich, estrela de cinema e *sex symbol* dos anos 1930 e 1940, posa para foto. Sua voz rouca, as lindas pernas e a conhecida bissexualidade atraíam ainda mais o interesse dos estilistas e atrizes em copiar seu estilo. A noiva que não quiser mostrar os braços pode considerar usar um vestido como este – mais discreto que um tomara que caia –, com um decote drapeado que forma as mangas, deixando os ombros à mostra.

O buquê da noiva deve complementar o vestido. O modelo redondo (no alto, à esquerda) pode trazer cor para quem optou por um vestido branco. A rainha Vitória popularizou esse modelo em 1860. Há também os de tipo cascata (acima, à esquerda), uma opção romântica para um vestido tradicional.

Também é possível misturar estilos (no alto, à direita), como o modelo redondo com rosas brancas e pendentes de jasmim – símbolo de felicidade no matrimônio. Há ainda modelos mais despojados: o vestido branco é um pano de fundo perfeito para um buquê em forma de crescente e com cor chamativa (acima, à direita).

A modelo na página oposta usa um vestido de noiva do estilista francês Christian Lacroix, em 2006. O tecido, criado em camadas delicadas dispostas quase como um véu, dá ao modelo suavidade e romantismo. Mas é o contraste entre os detalhes na bainha da saia e o laço azul no decote que fazem desse modelo um hit.

Acima

Aos 18 anos, a atriz francesa Brigitte Bardot sorri enquanto apoia a cabeça de leve no ombro do marido, o diretor de cinema francês Roger Vadim, em 1952. Ela usa luvas e um regalo de pele para esquentar as mãos – o casamento ocorreu em dezembro, no inverno europeu. Flores, bordados, laços e pedras podem ser aplicados no véu para deixá-lo mais bonito; o efeito é particularmente interessante se o vestido for liso.

À direita

Menos é mais. A elegância do vestido da atriz italiana Pier Angeli se deve à simplicidade do traje – destacam-se apenas a gola, as mangas e a grinalda bordadas. Grinaldas como essa eram muito populares na década de 1950; rendas, bordados e pedras davam o toque final nos vestidos de conto de fadas, de saia godê.

A extremidade do véu deve se localizar logo acima ou abaixo de algum ponto focal do vestido. À esquerda, o véu na altura dos cotovelos enfatiza o corte acinturado do vestido Givenchy, bem como dá destaque à saia ampla. Modelos bastante enfeitados, como esse, pedem véus lisos. Mas, se o vestido é liso, aposte em ornamentos no véu, como rendas ou pedras. Um corte de renda chantilly pode dar um ótimo véu, particularmente quando disposto atrás da cabeça (acima, à direita). O véu deve combinar sempre com a cor do vestido (no alto, à esquerda). Os modelos que vão até os ombros normalmente possuem cobertura para o rosto (acima, à esquerda), mas os véus longos também podem cobrir a face. A tiara é o acompanhamento ideal para véus formais estilo capela, que quase tocam o chão (no alto, à direita). Se o vestido possuir uma cauda longa, use um véu estilo catedral, igualmente comprido.

À esquerda

Roger Moore posa com Luisa Mattioli depois da cerimônia em Caxton Hall, Londres, em 1969. Em vez do véu, ela escolheu acessórios em forma de espiral enfeitados com flores e colocados junto às orelhas, como as noivas da década de 1920. Os adereços combinam com as flores do vestido.

Acima

Esta noiva de 1953 usa estola de pele e uma guirlanda de flores nos cabelos, em contraste com o vestido estampado. As delicadas flores brancas ajudam a suavizar a estampa brilhante.

Acima

Alfonso, príncipe das Astúrias, filho mais velho do rei Alfonso da Espanha, casa-se com a cubana Edelmira Sampedro-Robato, em 1933. Acessórios de pérolas e flores de seda eram moda na época, e longos véus de tule eram usados sobre vestidos justos.

À direita

A atriz Raquel Welch e seu novo marido, o produtor Patrick Curtis, andam pelas ruas de Paris no dia do seu casamento, 14 de fevereiro de 1967. O vestido é típico dos anos 1960, quando as noivas descoladas optavam por minivestidos bordados ou de renda.

Acima

A popstar Avril Lavigne, então com 21 anos, usa um tomara que caia feito por Vera Wang em organza marfim, com aplicação de renda na saia. A bainha e o busto eram decorados com dobras de tecido; no altar, a cantora usou um buquê de rosas brancas. Os cabelos soltos e a corrente delicada, com crucifixo, dão um visual jovem e um estilo "menos é mais".

À direita

Laura Parker Bowles chega a seu casamento com Harry Lopes em 2006, em Wiltshire, Inglaterra. Ela usa um vestido simples no estilo donzela feito por Robinson Valentine, com decote em V e mangas três-quartos com boca de sino. Enquanto a tiara e os brincos são luxuosos, o vestido é sóbrio, com ornamentos apenas na manga.

À esquerda

Nesta cena do filme *Um Golpe à Italiana*, de 1969, a noiva usa um lindo enfeite floral que cai sobre os cabelos como um véu delicado. As luvas finas arrematam o visual apropriado para um casamento ao ar livre.

Acima

A atriz Pauline Starke usa um vestido de noiva com colar de pérolas no filme *Love's Blindness* ["A cegueira do amor"], de 1926. Na Europa, algumas moças mandavam bordar pérolas no vestido para simbolizar as lágrimas da noiva – quanto mais chorassem agora, menos chorariam durante a vida de casadas. Símbolo da felicidade no matrimônio, as pérolas eram associadas pelos gregos às lágrimas das ninfas.

Modelo usa vestido criado por Molyneux em 1946 (no alto, à esquerda). O arranjo de flores suspende o véu sobre a cabeça. Jill Esmond-Moore foi a noiva de Lawrence Olivier em 1930 (no alto, à direita), e a atriz britânica Marjorie Hume casou-se com Eric Lindsey em 1933 (acima, à esquerda).

As coroas, as guirlandas, as tiaras, as flores e os adereços feitos com tule engomado eram alguns dos acessórios típicos da década de 1930. A casquete de pele de Jane Wyman (acima, à direita) faz uma discreta referência a um véu, no casamento com Ronald Reagan, em 1940.

Na página oposta, a atriz sueca Ingrid Bergman usa uma moderna touca estilo "Julieta" em seu casamento com o dentista Petter Lindstrom, em 1937.

À esquerda

Natasha Henstridge estrela o filme *A Viúva da Colina*, em 2005. Estolas e boleros são alternativas para casamentos em dias frios. Casaquinhos e boleros de pele ou caxemira são próprios para invernos rigorosos.

À direita

Modelo caminha na passarela em desfile de vestidos de noiva de Vera Wang, em Nova York. Um tomara que caia simples pode ser complementado por um bolero original, uma echarpe ou uma estola para a cerimônia.

Acima

A senhora Franklin D. Roosevelt posa para a câmera em 1905, com um modelo de cetim encorpado com tule enfeitando a gola e as mangas. Rendas belgas que pertenciam à avó da noiva cobrem o vestido e combinam com o longo véu, também de renda.

À direita

O diretor americano Russ Meyer, famoso por filmes de baixo custo com atrizes de seios fartos, posa ao lado da nova esposa, a atriz Edy Williams, em 1970. Durante o casamento, ele a fotografou para a *Playboy*; na imagem ao lado, ela mostra sua liga. Tradicionalmente, essa peça era retirada pelos maridos e mostrada como prova de que o casamento havia se consumado.

Este casamento real de 1927 (acima) foi realizado entre a filha do pretendente ao trono francês e um primo do rei da Itália. Há modelos com caudas que partem dos ombros ou da cintura; em ambos os casos, geralmente a cauda pode ser retirada do traje após a cerimônia religiosa para permitir que a noiva dance na festa. Outro modelo é o da cauda que consiste em um prolongamento do vestido.

A cauda usada por Lady Diana Spencer (no alto, à direita) possuía 7 metros de comprimento. Desenhado por Balmain, este elegante vestido (no alto, à esquerda) também se distingue pela cauda longa. Ao se casar com o príncipe Johan Friso dos Países Baixos, Mabel Wisse Smit chamou atenção com sua cauda cheia de laços (acima, à esquerda). O vestido feito por Desses em 1953 (acima, à direita) possui uma cauda feminina e fluida que sai dos ombros.

À esquerda

Neste casamento na Côte d'Azur, em 1997, os detalhes no véu ornamentam o traje e dão um toque de opulência ao vestido liso, simples mas elegante.

Acima

Mais de 60 países possuem a tradição de pintar as mãos das noivas com hena. Em cerimônias não religiosas, o rito pré-nupcial é feito na casa da noiva, pela própria família.

À esquerda

O detalhe nas costas deste vestido de Vera Wang elimina qualquer necessidade de colar e brincos chamativos, compondo um look excelente para a cerimônia civil e religiosa – quando a noiva fica bastante tempo de costas para os convidados.

À direita

A atriz Carol McComas usa um vestido de gala, com saia e busto com apliques de renda, em 1905. As mangas franzidas possuem boca de sino; o corpete aperta a cintura ao mesmo tempo que projeta os seios para a frente, como era moda na *belle époque*. Uma guirlanda de flores enfeita os cabelos.

Página 314

A estilista Alex Gore Browne se casa com Jo Bamford, herdeiro do grupo JCB, em Londres, em 2007. A própria noiva criou seu vestido de cetim; o buquê redondo com fitas é uma releitura de um estilo de arranjo muito usado no início do século 20.

Página 315

A atriz americana Mary Pickford num look radiante típico da década de 1920. Naquela época, os buquês grandes substituíram a tendência vitoriana por buquês redondos e pequenos. O modelo de arranjo com fitas, flores e folhas penduradas inaugurou um novo estilo – chamado de *love knot* ou "nó do amor".

INDICAÇÕES DE LEITURA

Agins, Teri, *The End of Fashion: How Marketing Changed the Clothing Business Forever.* Nova York: William Morrow & Company, 1999.

Barthes, Roland, *Sistema da Moda.* São Paulo: Martins Fontes, 2009.

Baudot, François, *Moda do Século.* São Paulo: Cosac Naify, 2006.

Bluttal, Steven, *Halston.* Londres: Phaidon, 2001.

Corré, Joseph e Rees, Serena, *Agent Provocateur: A Celebration of Femininity.* Londres: Carlton, 1999.

Cunnington, Phillis e Lucas, Catherine, *Costumes for Births, Marriages and Deaths.* Londres: A&C Black, 1972.

Davis, Fred, *Fashion, Culture, and Identity.* Chicago: University of Chicago Press, 1992.

Demornex, Jacqueline e Canino, Patricia, *Madeleine Vionnet.* Paris: Editions du Regard, 1990; Londres & Nova York: Thames & Hudson, 1991.

Foster, Helen Bradley e Johnson, Donald Clay (editores), *Wedding Dress Across Cultures.* Oxford & Nova York: Berg, 2004.

Freeman, Elizabeth, *The Wedding Complex: Forms of Belonging in Modern American Culture.* Durham: Duke University Press, 2002.

Haugland, H. Kristina, *Grace Kelly: Icon of Style to Royal Bride.* Filadélfia: Philadelphia Museum of Art, 2006.

Laver, James, *Modesty in Dress: An Inquiry into the Fundamentals of Fashion.* Londres: Heinemann, 1969.

Lurie, Alison, *A Linguagem das Roupas.* Rio de Janeiro: Rocco, 1997.

Manolo Blahnik Drawings. Londres & Nova York: Thames & Hudson, 2003.

Martin, Richard e Koda, Harold, *Christian Dior.* Nova York: The Metropolitan Museum of Art, 1997.

McDowell, Colin, *Galliano.* Londres: Weidenfeld & Nicolson, 1997.

McDowell, Colin (editor), *The Pimlico Companion to Fashion.* Londres: Pimlico, 1998.

Peacock, John, *The Complete Fashion Sourcebook.* Londres & Nova York: Thames & Hudson, 2005.

Richards, Melissa, *Chanel: Key Collections.* Londres: Hamlyn, 2000.

Steele, Valerie, *Fifty Years of Fashion: New Look to Now.* New Haven, CT: Yale University Press, 2000.

Wilcox, Claire (editor), *The Golden Age of Couture: Paris and London 1947–57.* Londres & Nova York: V&A Publications, 2007.

Woodall, Trinny e Constantine, Susannah, *Esquadrão da Moda.* São Paulo: Globo, 2005.

Worsley, Harriet, *Classics of Fashion.* Londres: Brown Reference Group, 2002.

Worsley, Harriet, *Decades of Fashion.* Colônia: Könemann, 2000.

CRÉDITOS DAS IMAGENS

AKG Images / Erich Lessing 223

Big Pictures 132 / Malibu Media 250

Bridgeman © The Bridgeman Art Library 148

Camera Press / Bassano 144 / Simon Grosset 239 / R. Stonehouse 127

Corbis / Michel Arnaud 75, 234 / Bettmann 33, 53, 57, 70, 107,135, 138, 167, 168, 170, 211, 232, 262, 266, 267, 278, 306 / Sunset Boulevard 74 / Stephane Cardinale 246, 288 (no alto, à esq.) / Conde Nast 151 / Alain Dejean 271 / Henry Diltz 177 / Mitchell Gerber 59 / Cynthia Hart Designer 142 / Hulton-Deutsch Collection 293 (no alto, à esq.) 62 / Andanson James 310 / Karen Kasmauski 197 / Brooks Kraft 36 / Andrew Lichtenstein 176 / Andrew Murray 190 / Genevieve Naylor 34, 292, 302 (no alto, à esq.), 309 (embaixo, à dir.; no alto, à esq.) / Michael Nicholson 129 / Thierry Orban 102, 281 / Norman Parkinson 123 / Eric Robert 222 / Sygma 197 / Pierre Vauthey 106

Getty 208 / AFP 92, 286, 289, 297 / Arif Ali 185 / Allan 76 / Tengku Bahar 195 / Bryan Bedder 117, 305, 312 / Dave M. Benett 202, 228 / Jack Benton 227 / Jack Birns 219 / Tim Boxer 237 / Vince Bucci 298 / Joe Buissink 7 / Central Press 68, 215, 221, 294 / Charles / New York Times Co. 22 / China Photos 196 / E. Dean 113 / Sahm Doherty 191 / Francois Durand 159 / Frank Edwards 307 / Evening Standard 61 / Express 54, 230 / Jayne Fincher 309 / Ron Galella 44 / General Photographic Agency 301 / Tim Graham 284, 285 / Francois Guillot 14 / Dirck Halstead 82 / Bert Hardy 13, 220 (embaixo, à esq.) / Frazer Harrison 251 / Dave Hogan 32, 48 / Stan Honda 260 / Hulton 60, 93, 131, 174, 240, 241, 296 / Anwar Hussein 17, 238 / Imagno / Austrian Archives [Arquivos Austríacos] 218 / isifa 90 / Chris Jackson 299 / Dmitri Kessel 31 / Keystone 42, 63,124, 203, 207, 244, 248 (no alto, à esq.) / John Kobal Foundation 101 / Peter Kramer 181 / Lisa Larsen 220 (ML) / Lavandeira Jr 156 / Eric Liebowitz 235 / William Lovelace 233 (no alto, à dir.) / Arnaldo Magnani 23 / Mark Mainz 162 / Salah Malkawi 192 / George Marks 212 / Thomas D. Mcavoy 9 / Arnaldo Magnani 46 / Kevin Mazur 27 / Chris Moore 189, 282 / Morgan Collection 236 / Andy Nelson 273 / Sam Panthaky 256 / Tony Perkins 149 / John Phillips 108 / George Pimentel 141 / Michel Porro 175 / Karl Prouse 283 / Thomas Rabsch 255 / RDA 290 / Fred Ramage 28 / Cesar Rangel 24 / Jack Robinson 150 / Michael Rougier 295 / Eric Ryan 269 / Sasha 73, 302 (no alto, à dir.; embaixo, à esq.) / Pascal Le Segretain 136, 288 (no alto, à dir.), 293 (embaixo, à dir.) / Noah Seelam 272 / Peter Stackpole 72 / Syndication International 77 / Three Lions 220 (no alto, à esq.) / Topical Press Agency 139 / Pierre Verdy 94, 259 / Bruno Vincent 247 / Roger Viollet Collection 199 / Julian Wasser 134 / Kevin Winter 86 / Toru Yamanaka 288 (embaixo, à dir.)

Goff Photos / Davidson 20, 314 / Queen 216, 277 Cortesia da revista *Hello!* 186, 187

Helnwein / Odessy Barbu, © Studio Helnwein 261

Kobal Collection 18, 21, 25, 26, 67, 88, 104, 112, 200, 287, 291, 300, 302 (embaixo, à dir.), 304 / Columbia 105 / Elmer Fryer 114 / George Hurrell 96 / MGM 111 / First National / Warner Bros 81 / Paramount 41, 89, 155 / RKO 40 / Clarence Sinclair 97 / 20th Century Fox 91 / Warner Bros 99

Pacific Coast News / Victoria Stewart 143

PA Photos / Joerg Carstensen 242 / Christophe Ena 38 / Cortesia de Oscar de la Renta / Dan & Corina Lecca / Revista *Brides*

Reuters 233 (embaixo, à dir.) / Jack Dabaghian 166 / Amit Dave 194 / Muhammad Hamed 188 / Tientan Ling 311 / Yuriko Nakao 161 / Jean-Paul Pelissier 268 / Ognen Teofilovski 184 / Robin Utrecht 309 (embaixo, à esq.) / Philippe Wojazer 110

Rex / 98, 293 (no alto, à dir.) / Brendan Beirne 116 / Peter Brooker 264 / Charbonneau 58/ Everett Collection 233 (embaixo, à esq.), 248 (no alto, à dir.; embaixo, à dir.), 249, 263 / David Fisher 243 / David Hartley 147 / Keystone USA 100 / Henry Lamb /BEI 45 / Jon Lyons 71 / Brian Moody 165 / Alex Oliveira 173 / Olycom SPA 270 / Nick Randall 171 / Jukka Ritola 164 / Sipa Press 84, 133, 198, 214, 217, 248 (embaixo, à esq.) / SNAP 69 / UMDADC 35 / Roger Viollet 118 / Steve Wood 172 / Richard Young 85, 103

Superstock 146

© Tate, Londres 2008 137

Topfoto 128, 245, 293 (embaixo, à esq.) / UPP 288 (embaixo, à esq.)

V&A Images / Victoria & Albert Museum / Cecil Beaton 30 / John French 49 / Em nome de Sir George Hayter 37 / Lady Hawarden 39 / Layfayette 43, 140 / Gentilmente cedida por Zandra Rhodes 130

Cortesia de Vionnet / Nefis Dhab 119

Cortesia de Amanda Wakeley 87

ÍNDICE

Os números em negrito mostram referências no corpo de texto principal.